D1432876

MADEMOISELLE JULIE

LE PÉLICAN

AUGUST STRINDBERG

MADEMOISELLE JULIE

LE PÉLICAN

Présentation et traduction inédite
par
Régis BOYER

GF Flammarion

© 1997, Flammarion, Paris, pour cette édition.
ISBN : 2-08-070970-4

8   PRÉSENTATION

PRÉSENTATION

L'auteur de *Mademoiselle Julie* est surtout connu, en France, pour son œuvre théâtrale, exceptionnelle en vérité, et qui a suffi à faire de lui un des grands dramaturges de notre temps. C'est oublier que ce génie disposa d'une palette autrement riche : il fut aussi poète, essayiste, auteur de nouvelles, d'autobiographies complaisantes et romancier, peut-être même surtout romancier pour ses contemporains : *Le Cabinet rouge*, par exemple, a certainement plus fait pour son renom, de son vivant, que ses pièces. C'est d'ailleurs ce qu'il a d'exaspérant — n'ayons pas crainte de lâcher l'adjectif — dès que l'on tente de l'aborder : rien à faire pour l'enfermer dans une formule définitive, il ne peut se plier aux normes, il est toujours ailleurs. Irréductible.

Il le sut du reste, il ne pouvait pas ne pas en être conscient. Et tout son malheur vient de là : être un homme à part dans ces petites sociétés conventionnelles, étriquées, refermées sur leurs traditions et leurs tabous qu'étaient les milieux scandinaves du XIXe siècle n'était pas de tout repos. Strindberg était évidemment en avance sur son temps, du moins en partie, il était surtout différent. Et il ne l'admit jamais, il aura passé son existence à se justifier tant à ses propres yeux qu'au tout-puissant regard d'autrui. Le parallèle avec Rousseau est assez frappant à cet égard. Qu'y a-t-il de plus inconfortable que de ne pas répondre à l'attente de son milieu, de tenter désespérément de le faire, d'y échouer, bien entendu ?

Il s'est sauvé, comme beaucoup d'autres de ses

semblables, Rousseau compris, par l'écriture. Parce qu'elle lui permettait tous les aveux, toutes les audaces, toutes les métamorphoses, tous les dédoublements, tous les possibles, parce qu'elle abolit l'absurde démarcation entre rêve et réel, parce qu'elle, et elle seule, peut communiquer ce « feu » qu'il était certain — il l'a dit — de posséder (en substance : je n'ai peut-être pas la meilleure tête qui soit en Suède, mais j'ai le feu). Voilà aussi pourquoi je ne trouve pas absolument indispensable de chercher, comme tant d'autres l'ont fait, et admirablement (je pense, chez nous, à C.G. Bjurström ou, en Suède, à Gunnar Brandell), des « explications » à ce génie singulier dans le menu détail de sa vie, de son milieu, de ses amours, etc. Non que de telles investigations soient inutiles, ne serait-ce que parce qu'elles permettent de ruiner légendes ou interprétations simplistes, mais l'essentiel est assurément ailleurs. Aborder Strindberg, c'est pénétrer dans l'étude de la fascinante alchimie qui préside à la création littéraire à son plus haut niveau et, par là, tout est dit.

C'est pourquoi aussi je ne m'attarderai que pour l'essentiel sur les détails de la biographie, que précise, de toute manière, la « chronologie » qui conclut le présent volume. Je voudrais seulement en souligner les temps forts pour faciliter l'accès aux fascinantes pièces que l'on va lire et dont il me paraît abusif de liquider la nature en les qualifiant de « naturalistes » ou d'« expressionnistes », comme on le lit souvent.

L'enfance fut tiraillée entre romantisme et réalisme, tous deux ambiants en cette Suède « oscarienne » (en anglais, on dirait « victorienne », l'équivalent est congru) qui circonscrit à peu près toute la vie active de Strindberg. Son père, Carl Oskar, était un petit négociant médiocre qui avait épousé sa gouvernante, laquelle avait été d'abord servante d'auberge : il n'en faudra pas davantage pour qu'un des volumes de l'autobiographie de l'écrivain s'intitule *Le Fils de la ser-*

vante! Tant le jeune August, désaccordé dès son enfance, sans doute nerveux, instable et déjà porté à l'excès, au demeurant nourri des révoltes de Byron ou d'Almquist, bientôt de Brandes, se sentait tiraillé entre les désenchantements de Hamlet et le radicalisme kierkegaardien. Bachelier, vague étudiant réellement harassé de préoccupations d'ordre économique — car il n'est pas riche et ne le sera jamais —, il sent bien que sa véritable vocation serait au théâtre, peut-être pour être comédien, plutôt pour composer : le titre de sa première pièce, *Le Libre Penseur* (1869), se passe de commentaires. Parallèlement, le romantisme du type flamboyant, ce que l'on appelle en Suède le göticisme qui entendait ressusciter les splendeurs du passé « gothique » pour fustiger les veuleries du temps présent, ne le laisse pas indifférent : l'association « Runa », qu'il fonde en 1867, et qui le met dans le droit fil de la tradition d'un de ses véritables modèles — curieusement inconnu en France quoique ce soit sans aucun doute un des maîtres écrivains suédois du XIXe siècle —, C.J.L. Almquist qui a été nommé plus haut, pourrait le faire passer pour l'un de ces grands nationalistes scandinaves issus du romantisme, comme le Danemark (Œhlenschläger) et la Suède (Geijer) nous en proposent à l'aube de ce siècle-là. Toutefois, et notez bien le paradoxe, il finira par accepter, pour vivre, un poste de bibliothécaire surnuméraire à la Bibliothèque royale de Stockholm, en 1874 : il y passera sept ans.

Mais en fait, la grande affaire de cette première partie de sa vie, c'est *Maître Olof*, une pièce qu'il écrira trois fois (la première, en vers, en 1872, la deuxième, en prose, en 1874, la troisième, partiellement en vers, en 1876). Maître Olof, c'est Olaus Petri qui vécut au XVIe siècle, qui a bon nombre de traits de Luther dont il fut un fervent zélateur. C'était aussi l'ami du roi Gustav Wasa, lequel, comme on le sait, ne fut probablement pas un luthérien convaincu, mais découvrit très vite tout le parti qu'il pouvait tirer de la religion nouvelle pour monter sur le trône de Suède et y installer sa dynastie. L'attitude ambiguë du souverain ne fut pas du goût d'Olaus qui osa s'élever violemment et publiquement contre le roi, lequel disgracia, condamna son ami pour lui laisser finalement la vie sauve tout en le reléguant. Olaus incarnait l'intransigeance de la vocation — un des maîtres-mots de Kierkegaard comme de tous ses disciples, au premier rang desquels le Norvégien Ibsen (dans *Brand*) —, la rage d'absolu et aussi les déchirements et les angoisses de l'ami trompé dans ses passions : tous thèmes strindbergiens par excellence. Il faut porter la plus grande attention à *Maître Olof* dont, au demeurant, Strindberg sera féru jusqu'à la fin de ses jours. Car notre homme a trouvé du coup et sa formule (le théâtre conçu comme la projection sur scène de l'univers intérieur de l'auteur) et son thème central (la vie n'est pas, ne peut pas être ce que nous rêvons ; alors, quelle existence vaudrait la peine ? et se peut-il qu'elle se rencontre ?) et le ton qui est à l'insurrection généralisée. Car Strindberg va passer maintenant trente-cinq ans à tout stigmatiser : l'État, l'Église officielle, la société assise, la Femme, Dieu, et lui-même. *Maître Olof* l'installe d'emblée dans son personnage de questionneur, de partisan, d'émeutier, de dynamiteur qu'il ne lâchera plus.

En 1875, la Femme a surgi dans sa vie ; il s'agit de Siri von Essen, épouse du baron Wrangel, superbe créature qui rêve en secret de faire du théâtre. Strindberg l'épouse en 1877 après qu'elle a divorcé. La Femme serait-elle la solution ? Nous allons voir à quel point elle aurait dû l'être, dans la mesure où une solution eût été possible. Le couple connaît quelques années de bonheur relatif, trois enfants naissent, mais les difficultés matérielles, les remous qui accompagnent la publication du célèbre roman *Le Cabinet rouge* (1879) qui se passe dans la bohème suédoise et fustige impitoyablement la société contemporaine, ne font rien pour faciliter une vie de toute manière hérissée de problèmes. On peut tout de suite aborder un thème qui ne cessera plus d'obséder l'auteur de féroces pamphlets misogynes comme *La Femme de Sire Bengt* (1882), d'autant que l'on a tant écrit sur ce sujet, notamment à la faveur de modes plus ou moins éphémères, qu'il peut être utile de faire le point.

Lequel revient à des constatations que l'on dira banales. Il aurait fallu trouver un moyen terme entre des représentations bien romantiques, femme-ange, femme-madone issue de cette Déesse-Mère solaire qu'adorèrent sans aucun doute les très anciens Scandinaves, femme-esprit-pur et angélique héritée du christianisme, d'une part, et, d'autre part, femme-démon, femme-vampire se nourrissant de la substance vitale qu'elle ravit à son compagnon pour s'en enrichir, femme-sensualité sordide, etc. Le motif, sous sa double face, hantera les deux pièces que l'on va lire et j'y reviendrai par force. Mais il est permis de couper court à toute psychanalyse ou à toute élucidation de type social en constatant tout simplement que Strindberg ne pouvait être heureux avec une femme, quelle qu'elle fût. Parce qu'il l'aura accusée inconsciemment de n'être pas, de ne pouvoir être ce qu'il projetait sur elle. On devine bien, d'ailleurs, qu'à ce jeu, ses partenaires successives ne pouvaient que s'épuiser. Qu'un jour, des justifications d'ordre psychotique finissent par s'imposer à l'observateur (la femme est par définition traîtresse, un homme ne peut jamais être sûr d'être le véritable père de ses enfants, la femme s'applique à annihiler l'homme qu'elle dit aimer en l'acculant à un combat psychique et matériel où elle se révèle fatalement « la plus forte », elle lui noue autour du cou un « lien » qui finira par l'étrangler, son rêve de possession maniaque revient à lui faire passer une camisole de force, etc., toutes ces images vont se rencontrer un peu partout dans l'œuvre, notamment au théâtre), cela tient sans doute au délabrement mental progressif de l'auteur.

Mais pour l'instant, notons que la Femme fournit un prétexte parfait à ce jeu de dédoublements auquel excelle Strindberg. Ainsi, même le grand Amour (avec une majuscule) romantique ne saurait combler son attente ; puisqu'il lui faut des raisons d'exercer sa rage de négation ou de remise en question. Puisqu'il étouffe dans la condition qu'on lui inflige, dans la condition humaine tout court. On le voit bien aux cinglantes satires sociales que sont *Le Nouveau Royaume* (1882) et ces *Aventures et destinées suédoises*, des nouvelles dont il commence la publication en 1882 également (la série ne sera achevée qu'en 1891) : elles font l'histoire du petit peuple pour mieux fustiger la décrépitude des temps présents.

Cela lui vaut trop d'ennemis, il sent la nécessité de fuir : en France, à Grez-sur-Loing, à Passy, à Neuilly, en Suisse, en Allemagne où il vit d'expédients et où sa manie de la persécution, son instabilité et une paranoïa croissante trouvent tout lieu de se développer. Il a pourtant publié, au passage, en Suède, deux recueils de poèmes qui font de lui l'un des maîtres du modernisme poétique (un troisième recueil paraîtra en 1905) dans son pays, et qui ne retiennent guère l'attention de la critique actuelle, chose fort regrettable.

En France, il a fait la découverte du naturalisme de Zola. Ici, il est en terrain familier : il trouve dans les œuvres de cette école la confirmation appliquée de bon nombre de ses théories : une mise en accusation féroce de la société, par exemple, un accent porté sans délicatesse sur les aspects sordides de notre existence, une dénonciation radicale des tares congénitales du monde moderne. Et de s'en donner à cœur joie sur le compte de la Femme qu'il vilipende avec une hargne rapace dans les deux recueils de nouvelles de *Mariés* (I : 1884. II : 1886). Le premier lui vaudra une assignation devant les tribunaux suédois, pour blasphème, mais il sera acquitté. C'est à partir de ce moment-là qu'il entreprend son autobiographie, en vertu du principe d'autojustification que j'ai souligné en commençant. En vérité, l'univers qu'il porte en lui est si original, si difficilement accessible au *vulgum pecus* que l'on comprend cette décision. Voici donc, dans l'ordre, *Le Fils de la servante* (publié en 1886), *Fermentation* (1886), *Dans la Chambre rouge* (1887) et *L'Écrivain* (1909). C'est une œuvre capitale pour qui tente de le connaître. Non qu'il faille la prendre au pied de la lettre, bien entendu, mais il y fait état de ses inlassables curiosités, il semble avoir assimilé tous les grands mouvements de pensée qui agitent l'époque, athéisme, scientisme, positivisme, par exemple. Dans un pêle-mêle étourdissant où la frénésie, la démesure, la richesse verbale démontrent *ipso facto* les possibilités de la langue suédoise, il multiplie les arguments justificatifs, les accusations véhémentes, les invectives tantôt grossières, tantôt subtiles, et aussi les rêves, les utopies — car remarquons que la tétralogie ne se donne pas pour une autobiographie *stricto sensu,* mais comme une manière de roman. On la complétera par l'extra-ordinaire *Plaidoyer d'un fou*, directement rédigé en français en 1887 (qui ne paraîtra pas en suédois du vivant de l'auteur, mais, en français, en 1895 et en allemand en 1893) : Strindberg y relate avec une violence rare l'histoire de son mariage malheureux — ils divorceront officiellement en 1892 mais la décision était prise dès 1887 — avec Siri von Essen.

Les connaisseurs préfèrent un roman de 1887, *Gens de Hemsö* (1887) sans doute pour la tendresse avec laquelle est mis en scène le « personnage » principal, l'archipel de Stockholm, pour lequel Strindberg professera toujours une prédilection marquée. Pourtant, l'ouvrage narre avec une impassibilité glacée l'ascension puis la chute d'un parvenu.

En fait — et j'espère bien que le lecteur aura été surpris de constater que le théâtre ne figure pas au premier plan des activités de Strindberg jusqu'au point où nous voici parvenus —, l'écrivain finit par comprendre que c'est sur scène qu'il parviendra le mieux à exorciser ses démons. Donc, il rédige *Le Père* en 1887 : cette pièce demeure, à ce jour, la plus jouée de tout son répertoire et l'argument en a déjà été suggéré (un père ne peut jamais être sûr que les enfants qu'il a sont bien de lui), mais le fond en est plus significatif : il s'agit de crier comment les hommes et le destin se conjuguent pour écraser une personnalité, la dissoudre, l'annihiler. Puissances, notons-le bien, qui ne sont pas nécessairement extérieures au héros : elles sourdent aussi bien des profondeurs ténébreuses de sa psyché ; les partenaires de sa petite damnation personnelle ne sont souvent que des projections, des incarnations pour les besoins de la cause, de ses fantasmes, et ce point sera récurrent dans l'œuvre dramatique. *Le Père* (et non *Père* comme l'usage semble s'être établi de dire en français, *Fadern* et non *Fader*, la précision mérite d'être apportée, tant il est clair que l'article, avec sa valeur générique, importe ici) sera la première d'une longue série qui comprend aussi *Camarades* (1888), *Créanciers*, *Paria*, *La Plus Forte*, *Simoun*, toutes de 1889, et surtout *Mademoiselle Julie* (1888). Bien qu'en France, le Théâtre Libre (Antoine) puis, un peu plus tard, le Théâtre de l'Œuvre (Lugné-Poe) représentent ces œuvres, il convient de dire qu'elles connurent peu de succès, à l'exception de *Créanciers*. L'explication va de soi : elles étaient trop nouvelles, trop en avance sur leur temps. C'est d'ailleurs à tort qu'on les appelle souvent « drames naturalistes », en raison de la mode ambiante à l'époque où elles virent le jour. Il vaudrait mieux parler de « théâtre psychique » qui nous intéresse ici au premier chef car nous allons en donner deux exemples sans équivoque.

Il convient de s'attarder au moins sur un point : c'est l'époque où les lettres scandinaves connaissent ce que l'on est convenu d'appeler leur « percée » (*genombrott* en suédois). Dans le dernier quart du XIXe siècle, le Danois Georg Brandes avait introduit dans le Nord ce qu'il appelle « les grands courants » de la modernité de son temps, soit tout le mouvement d'idées positivistes, scientistes, déterministes, darwinistes, antireligieuses, etc., qui marquera ensuite notre siècle. De ce flux de sollicitations nouvelles, Strindberg va dégager une conception du monde indispensable désormais à la compréhension de son œuvre. Soit : il existe des esprits supérieurs qui sont nécessairement incompris de la masse (de la « majorité compacte », dira Ibsen). La vie humaine revient à une lutte sans merci où le vulgaire fait l'impossible pour écraser tout ce qui sort du commun : c'est ce que notre auteur appelle la « lutte des cerveaux », *hjärnornas kamp,* qui ne se traduit pas nécessairement par des crimes dans l'acception courante du terme, mais par un lent assassinat psychique où, à partir de moyens psychologiques (suggestion, insinuations perfides, introduction d'un doute funeste dans la conscience de la victime visée, hypnose, hallucinations soigneusement entretenues, et ainsi de suite), il s'agit d'amener à sa perte le sujet d'exception dont la présence parmi nous est intolérable. Dans ce combat, la Femme, cela va sans dire! est bien mieux armée que l'Homme, la masse, bien plus méchante que l'individu isolé, le médiocre, autrement plus efficace que le génie : ils assassinent impunément le héros, ils sont les artisans de ce « meurtre psychique » (*själamord*) qui réduit au néant le grand homme. Et la camisole de force que vient passer, à la fin du *Père*, la vieille nourrice, représentative, comme l'on voudra, de la mère — de la Femme — au pauvre personnage central devenu pratiquement fou, est puissamment symbolique de cet homicide en douceur, sans effusion de sang ni strangulation physique qui est bien le but visé. La force de ces pièces — indépendamment de leur affabulation située — tient à la fascination qu'exercent sur nous de grandes images-forces, obsédantes en même temps qu'immédiatement expressives, qui sous-tendent et littéralement animent ces chefs-d'œuvre. Il y a, pour prendre un autre exemple dans *Mademoiselle Julie,* un oiselet dont on coupe le cou ou un rasoir dans la main du valet Jean, qui finissent par imposer leur présence fatidique et décident, à eux seuls, de la fin, pressentie bien avant le terme de la pièce. Je tiens que c'est là l'un des combles de cet art, présent dans presque toute la production de l'auteur : ce que j'appellerai l'activité icono-motrice (comme on parle d'activité idéo-motrice) qui, réellement, dicte la progression de l'intrigue et dote l'argument anecdotique de la pièce ou du roman de dimensions proprement fantastiques. On comprend sans peine que le mental de Strindberg, directement impliqué dans la plupart de ses créations fictives (et l'on prendra bien garde que les deux pièces que l'on va lire ont été en grande partie dictées par des événements réels qui sont intervenus dans la vie même de l'auteur) tant au théâtre qu'en d'autres genres, ait eu du mal à résister à de pareilles tensions.

Il rentre en Scandinavie en 1889. Au Danemark d'abord, où sont Siri von Essen et les enfants du couple. C'est cette année-là qu'il publie un ouvrage étonnant, *Parmi les paysans français*, qui est le fruit d'une vaste enquête qu'il avait menée, en France, sur les milieux ruraux, en compagnie d'un jeune compatriote photographe, en 1886. C'est un « reportage » d'une surprenante justesse et d'une pertinence qui témoignent, s'il était nécessaire, de la qualité du regard de l'auteur et de la richesse de sa palette. C'est aussi cette année-là qu'il découvre, semble-t-il, son compatriote Emmanuel Swedenborg... à travers la *Séraphîta* de Balzac : on sait que le grand romancier français fut marqué par la théorie des « correspondances » du théosophe suédois. Strindberg, faut-il le dire, sera plus sensible au thème platonicien, repris par Swedenborg, et d'ailleurs inscrit, de façon fort curieuse, dans la mythologie de l'androgyne des anciens Scandinaves : nos malheurs viennent de ce que les doubles séparés à l'aube des temps cherchent éperdument à se réunir et que, n'y parvenant pas ici-bas, ils n'ont d'autre issue que de se détruire... Autant d'indices pour comprendre le nouveau tournant que va prendre cette inspiration, vers l'occultisme, l'alchimie, la mystique, tant il est clair que cette âme forcenée n'aura eu de cesse, d'un bout à l'autre de sa vie, qu'elle n'ait trouvé la clef du « Grand Secret » dont l'élucidation serait censée résoudre tous nos problèmes !

Nous voici en 1892. Strindberg a quarante-trois

ans : le chemin parcouru ou plutôt les voies explorées par cet esprit sans cesse inquiet et de passage ont déjà de quoi alimenter notre réflexion. Il s'est remis à écrire pour le théâtre : de courtes pièces en un acte, impeccablement montées comme de petites mécaniques de précision, selon les règles de celui qui fut le grand maître à écrire du théâtre des Scandinaves de ce temps, le Français Eugène Scribe. Le prétexte ne varie pas : il dépeint « son » personnage (je joue sur le double sens possible du possessif) : défini, présenté, situé avec précision, puis miné et dissous par ses reflets, ses doubles, ses fantômes, toutes les projections, volontaires ou inconscientes, qu'il ne cesse ou ne peut s'empêcher de faire de lui. Cela nous vaut des camées impeccables intitulés *Premier Avertissement, Doit et Avoir, Devant la mort, Amour maternel, Il ne faut pas jouer avec le feu*, toutes de 1892, et surtout *Le Lien* sur le sens duquel nous nous sommes déjà attardé un moment. Il est constamment présent derrière toutes ces pièces et le Théâtre dramatique ne refuse pas certaines d'entre elles, mais ce sont les acteurs qui n'acceptent pas de les jouer ! Tant est explosive et, aux yeux des contemporains, scandaleuse, la vision de la vie qu'elles nous livrent ! Peut-être est-ce l'une des raisons pour lesquelles il reprend la fuite, si l'on peut dire.

Il est reparti pour Berlin où son théâtre est mieux accueilli que dans son propre pays, puis pour Londres et l'Autriche, et la France où nous le retrouverons en 1894. Mais c'est anticiper : en 1893, il a épousé une jeune Autrichienne, de presque vingt-cinq ans sa cadette, la journaliste Frida Uhl qui, courageusement, tentera de prendre en charge le ménage, et lui donnera une fille.

Mais la grande affaire, pour lui, maintenant, c'est l'occultisme, l'alchimie : nous en avons rapidement suggéré les prémisses et l'on est fondé à dire qu'il devait y arriver un jour, d'autant que, comme on le sait, l'époque, en France notamment, était passionnée de ce genre de questions, évidemment par réaction

contre les outrances de l'âge positiviste. Quand on
s'appelle Strindberg et que l'on a reçu du Ciel une
personnalité si peu conforme au modèle commun,
quand on a passé plusieurs décennies à expliquer, à
soi-même comme à autrui, ce mystère dont on est
porteur sans parvenir à autre chose qu'à se faire souffrir soi-même ou à déchaîner la hargne d'ennemis qui
ne sont pas forcés d'entrer dans les méandres d'une
pareille idiosyncrasie, il ne reste plus que le « Grand
Secret » qui pourrait élucider tant de ténèbres inté-
rieures. Et c'est comme naturellement que Strindberg
pénètre dans ces arcanes. Il fait de la chimie, de
l'alchimie, rien de ce qui est occulte ne saurait le laisser indifférent, il fréquente, à Paris, les milieux théo-
sophiques, il confie au papier d'étranges essais mi-
scientifiques, mi-illuminés intitulés *Antibarbarus*
(1894) ou *Introduction à une chimie unitaire* (1895).
Sans trop détailler : le monde est fait de signes,
d'appels, de correspondances entre réalité misérable
et univers céleste. Un jour, les doubles séparés seront
réunis. En attendant, il faut expier nos fautes, connues
et inconnues, souffrir (par la Femme en particulier) :
« Je suis un vieux pécheur qui fait pénitence. » On
pressent les tortures mentales, psychiques et même
physiques qu'entraînent de tels exercices, de telles
attitudes. Et il n'y résistera pas : ce sera la longue crise
qu'il a complaisamment décrite dans *Inferno*, rédigé
en 1897, en français, puis traduit en suédois, et publié
par Le Mercure de France en 1898 (auquel il faut
ajouter *Légendes* qui date de la même année 1897).
Inferno est l'un des ouvrages les plus connus de
Strindberg, celui qui a, naturellement, en notre époque technicienne, attiré le plus l'attention, notamment
des psychanalystes et je ne voudrais pas trop m'y
attarder. Je présume avoir amené mon lecteur à
admettre cet inéluctable aboutissement, pour un
temps, sans qu'il soit absolument indispensable de
descendre dans les ergo de la psychologie des profondeurs (mais il est simplement honnête de noter pourtant qu'il a réellement connu, à cette époque, des

troubles mentaux qui ne sont pas, toutefois, de nature totalement tératologique et, en tout cas, pas aussi graves qu'il aurait sans doute aimé qu'on les dît, troubles compliqués en outre par un psoriasis). Je redis qu'il faut partir d'une inacceptation déclarée de soi-même, du milieu, de la condition infligée, inacceptation dictée avant tout par une rage d'absolu ou, si l'on préfère, un rêve de grandeur qu'il eût été impossible de satisfaire. En d'autres termes, *Inferno* est le type même de l'œuvre à valeur thérapeutique : l'auteur s'y est délivré, guéri si l'on veut, par l'écriture et c'est pourquoi la lecture et l'intelligence de cet ouvrage sont si importantes. Entendons-nous bien : je ne suis pas en train de dénier à *Inferno* le statut exceptionnel que, si souvent, on a voulu lui donner, la compréhension de cette descente aux Enfers me paraît essentielle, au contraire ; je voudrais seulement qu'on n'en fît pas la clef ou l'apogée d'une œuvre qui s'est donné bien d'autres ouvertures ou exutoires dont certains n'ont pas encore été vus ici-même.

Strindberg s'est fixé à Lund, dans l'extrême sud de la Suède, en 1896. L'année suivante, il divorcera d'avec Frida Uhl. Il finira par se réinstaller définitivement à Stockholm en 1899. Et il est revenu presque exclusivement à ce qui est son véritable domaine, pour les raisons qui ont été indiquées dès le début de ces pages, le théâtre. Ce retour s'explique aussi par le succès éclatant qu'a remporté, l'année précédente, *Maître Olof*, vingt-cinq ans après sa première représentation, à Stockholm. Là, il va se rendre capable d'une production d'une richesse et d'une diversité qui suffiraient, en soi, à imposer définitivement son nom : mais j'ai souligné au passage les qualités de son œuvre romanesque et poétique sans parler de ses nouvelles ou de ses essais.

Je grouperai ses pièces sous trois rubriques, selon la coloration majeure qu'il convient de retenir.

Dès 1898, il avait commencé la composition du *Chemin de Damas* (premier volet, suivi d'un deuxième volet en 1898 également, puis d'un troisième en

1904). C'était ouvrir la série de ses drames dits expressionnistes, qui comprendra encore *Avent* (1899), *Crime et Crime* (1899), et *La Danse de mort* (1901). Il est juste de dire que Strindberg est, comme on l'appelle parfois, « le père de l'expressionnisme » en littérature tout comme le Norvégien Edvard Munch l'est en peinture. Rien n'est plus malaisé à cerner que cette notion, au demeurant galvaudée aujourd'hui. Avançons que l'on entend par là un type d'expression artistique où l'émotion créatrice dans sa fraîcheur et sa spontanéité indicibles est transcrite en faisant, dans les limites du possible, l'économie des distorsions, défigurations ou trahisons qu'interpose inévitablement entre elle et le rendu définitif le type de formulation retenu. Ou encore, que l'œuvre expressionniste est celle où la version proposée est de nature telle que le lecteur ou spectateur ou auditeur peut remonter droit à l'émotion créatrice dans toute son originalité en faisant abstraction, pour ainsi dire, du véhicule écrit, peint, modulé dont elle s'est servie. Cœur ou âme mis à nu et au-delà des catégories spatio-temporelles, si l'on ose dire. Et là, incontestablement, Strindberg est un maître. Il était conscient de la difficulté, d'ailleurs, puisqu'il qualifiait volontiers ces essais de « mystères », dans l'acception plus ou moins médiévale du mot. Le but du *Chemin de Damas*, avec les connotations bibliques que dit nettement le titre, est de nous proposer un cheminement spirituel à la limite du souvenir personnel et du rêve. Pièces itinérantes dont les personnages — qui portent tous des noms atypiques comme L'Étranger, La Dame, Le Mendiant, etc. — sont autant de projections, ou dédoublements, ou sosies de l'auteur. La pensée est que nous sommes tous exilés sur cette terre et condamnés implicitement pour des fautes que nous ignorons, mais que la rédemption n'est pas hors de notre portée : il faut faire pénitence pour parvenir à la catharsis qui, seule, nous permettra de connaître cet ineffable, cet amour absolu dont le leurre a tellement navré notre existence ici-bas. *La Grand-Route*, qui sera sa toute dernière pièce

(1909) suggère, ne serait-ce que par son titre, que cette inspiration fut dominante dans cette dernière partie de sa vie. Très belles pièces qui parviennent réellement, par un jeu extrêmement subtil de métamorphoses et de confusions des signes, à nous faire pénétrer dans ce travail de décantation, d'épuration qu'entreprend, par définition, tout véritable pèlerin de l'absolu. Là encore, il n'est pas vraiment nécessaire de parler de psychothéâtre ou de solliciter le magistère des grands psychanalystes de notre temps. En somme, sans être commune ni banale, la démarche qui est retracée pour nous dans ces chefs-d'œuvre n'est pas hors de notre portée. Rappelons-nous que je est un autre, plusieurs autres : à reconstituer tant d'alter ego et à nous les montrer *en marche* vers leur propre sublimation, l'auteur se livre à la fois à un travail de connaissance (pour lui) et de re-connaissance (pour nous). Ce qui revient à dire qu'il y a un nombre infini de lectures ou d'interprétations possibles de ces fascinantes créations et qu'elles coïncident, par excellence, avec la nature profonde de toute entreprise théâtrale, qui est exactement re-présentation. La nouveauté de ces œuvres était tellement évidente que le public de l'époque, bien qu'il ne les ait pas totalement refusées, a eu peine à suivre : il faudra attendre la seconde moitié de notre siècle pour que justice soit faite à ces chefs-d'œuvre.

Dans l'intervalle, Strindberg s'est remarié. Il a fait la connaissance, en 1900, d'une jolie comédienne norvégienne, Harriet Bosse, plus jeune que lui de trente-deux ans, et l'a épousée en 1901 (l'anecdote veut qu'il lui ait demandé, au cours d'une soirée : « Voulez-vous d'un petit enfant de moi ? » Et qu'elle lui ait répondu, à la scandinave : « Oui, merci ! »). Bien entendu, si l'on ose dire, l'union sera éphémère, le divorce sera prononcé en 1904. L'épisode est pourtant significatif d'une volonté bien déclarée de poursuivre un rêve tenace aussi bien dans la réalité qu'à travers l'œuvre d'art. Et pour ceux qui voudraient faire du grand Suédois un pur abstracteur de quintessence ou un rêveur éveillé, il suffit à témoigner d'un attachement durable aux valeurs du réel.

Mais nous avons laissé la production théâtrale : parallèlement aux drames « de rêve », l'auteur, qui connaît une période d'une fécondité extrême, multiplie des drames historiques, comprenons des pièces où un prétexte historique sert, par transposition, le même dessein que les drames expressionnistes. On peut en retenir *La Saga des Folkungar*, *Gustav Vasa*, *Erik XIV* (toutes trois de 1899), ou *Charles XII* et surtout *Christine* (1902), ou encore *Le Rossignol de Wittemberg* (c'est-à-dire Luther, 1903).

Mais il faut mettre à part celle de ses pièces qui est probablement le joyau de toute cette production, *Le Songe* (le titre suédois dit plus explicitement : un jeu de rêve, *Ett drömspel)*, qui est de 1902. Nous restons dans le sillage exact du *Chemin de Damas*, mais avec une maîtrise et un brio exceptionnels, même à l'intérieur de l'œuvre théâtrale dans son ensemble. Ici, c'est délibérément que la démarche et les caractères du rêve sont adoptés, au point d'introduire une confusion totale entre mode onirique et réalité, et de trouver une unité profonde qui est, on se le rappelle, exactement le but visé. Par un geste d'exorcisme devenu familier aujourd'hui — mais révolutionnaire à l'époque — une sorte de transmutation s'opère, sous nos yeux, sur scène, et l'on pourrait même parler d'enchantement, au sens étymologique du terme, ce que suggère d'ailleurs un arrière-plan explicitement oriental (la fille d'Indra). Jamais Strindberg, semble-t-il, n'est parvenu aussi loin dans la quête mystique qu'il a entreprise, et il a su la dire en formules inoubliables.

Pourtant, l'âge vient et, avec lui, la montée d'un pessimisme de plus en plus noir qui s'exprimera dans deux romans visiblement écrits en souvenir d'essais de jeunesse, *Les Chambres gothiques* (pour faire pendant à *La Chambre rouge*) et *Les Drapeaux noirs* (sorte de réponse au *Nouveau Royaume*), tous deux de 1904.

Reste, intacte, la tentation faustienne fondamentale. Elle nous vaudra les grandes méditations philosophiques des *Livres bleus* (1906-1912) qui ne sont certainement que la partie émergée d'un vaste iceberg dont les manuscrits existent toujours, à Stockholm, dans le fameux « sac vert ». C'est un fatras étourdissant d'expériences mystiques, de méditations occultes, de relations d'expériences que nous dirions métapsychiques, qu'il faut compléter par les textes qui ont été publiés, il n'y a que trois ou quatre décennies, sous les titres de *Vivisections* (1958, un intitulé qui pourrait fort bien valoir pour l'ensemble de l'œuvre!) et de *Journal occulte* (dont des extraits ont été édités en 1963). Je reprends à Carl-Gustav Bjurström la rapide présentation qu'il fait du contenu des *Livres bleus*, dans leur principe au moins. Soit : « Philosophie = connaissance de l'homme », « Psychologie — le problème de l'amour », « Religion », « Mathématiques », « Zoologie », « Chimie », « Minéralogie », « Occultisme », « La tendre meurtrière », « L'horrible instant », « Amour malheureux », « La demi-mondaine mariée », « Plus fort que nous », « L'étranger Zola », « Études hébraïques », « Deux fois deux font cinq — parfois », « Le psychisme des plantes », « Bruits d'animaux, explicables », « Catalyse et réaction réversible », « Qu'est-ce que le radium? », « Anatomie et physiologie des Chinois », « Logique explicable des événements », etc. Il suffit pour que l'on prenne la mesure et de l'immense curiosité de cet esprit et de la prodigieuse diversité de ses préoccupations, sans parler de certaines constantes parfois bien datées de sa réflexion.

Le plus remarquable est que la carrière dramatique n'est pas achevée pour autant. Parce qu'un jeune metteur en scène est parvenu à monter *Mademoiselle Julie* à Stockholm et que la pièce y a obtenu un succès qui lui avait été refusé depuis sa création, Strindberg décide, une dernière fois, de revenir au théâtre : il fonde avec Auguste Falck le Théâtre Intime, où il peut enfin satisfaire ce qui fut l'un des grands rêves de sa vie, expérimenter! C'est pour cette scène qu'il composera une nouvelle série de petits chefs-d'œuvre, denses et puissamment symboliques, que l'on appelle aussi ses « pièces de chambre », soit *Orage*, *La Maison brûlée*, *La Sonate des spectres*, *L'Île des morts* et *Le Pélican*, toutes de 1907.

Par la suite, la production se fera plus rare, ce qui ne signifie pas que notre homme ait rien perdu de sa pugnacité : son *Discours à la nation suédoise* (1910) déclenchera l'une de ces violentes querelles mi-littéraires, mi-politiques, comme la Suède nous en offre par intervalles. Pourtant, lorsqu'il meurt, le 14 mai 1912, d'un cancer, plus personne, dans son pays, ne lui conteste le statut de gloire nationale.

Pourquoi avoir choisi de présenter en un seul volume, ici, les deux pièces que l'on va lire ? Presque une vingtaine d'années séparent leur publication respective et les circonstances de la vie de l'auteur, toujours tellement importantes lorsque l'on cherche à le connaître, ont grandement changé ! D'un autre côté, il sous-titre *Mademoiselle Julie* « une tragédie naturaliste » alors qu'il range *Le Pélican* parmi ses *kammarspel* (*jeux* [ou *pièces*] *de chambre*), ce qui, à première vue, ne devrait pas aller dans le même sens.

On répondra d'abord en se plaçant sur le plan technique, chose que l'on omet bien trop souvent de faire, s'agissant d'un auteur sur le compte duquel la psychanalyse a cru devoir, pendant des décennies, déployer ses fastes. Quel que soit le genre envisagé, Strindberg fut un écrivain, au sens noblement artisanal du terme, nul ne s'en rend mieux compte que le traducteur. Il aimait sa langue, il chérissait les possibilités d'expression du génie humain, il avait cette attention tellement sympathique, tellement scandinave aussi, au matériau brut qu'il élaborait. Et s'il s'agit de théâtre, genre dont on a dit à quel point il le passionna toute sa vie, il sera resté constamment à la recherche de formes qui parviendraient à exprimer une vision de l'homme, de la vie et du monde dont nul ne saurait contester l'originalité. En d'autres termes, il y a longtemps, en 1907, date de la rédaction du *Pélican*, qu'il revendique la création d'une scène strindbergienne — qu'il appelait, rappelons-le, Théâtre Intime (*Intima Teater*). C'est pour ce théâtre virtuel qu'il avait composé non seulement *Mademoiselle Julie*, mais d'autres pièces brèves et ramassées comme *Simoun* ou *La Plus Forte*. L'essentiel de son inspiration revenant à concentrer au maximum une crise pour la faire éclater sous nos yeux, comme il l'aura avoué plus ou moins directement à diverses reprises, cette forme lui convenait particulièrement. Mais ni les temps ni le public n'étaient mûrs, en 1888, pour y parvenir. En revanche, en 1907 et précisément parce que *Mademoiselle Julie* venait enfin de connaître un succès éclatant à Lund, Malmö, Göteborg et Stockholm, grâce à August Falck, la situation était bien meilleure.

August Falck, jeune comédien et directeur de théâtre, voulait fonder un théâtre qui répondrait au très vieux rêve de Strindberg (il remonte à 1876!) : avoir une scène à soi, sur le modèle du Théâtre Libre d'Antoine à Paris, écrire des pièces courtes dans le genre des « quarts d'heure dramatiques » de Guiche et Lavedan, avec un seul décor, et très peu de personnages. Le Théâtre Intime venant de se créer, c'est pour lui que Strindberg va composer ses *kammarspel*, le rôle de Max Reinhardt, à Berlin, pour la promotion du genre étant tout à fait éminent, d'autant que c'est le metteur en scène allemand qui avait trouvé l'expression *Kammerspiele*. Au demeurant, Strindberg nous a dit lui-même ce qu'il entendait par là, il s'en est ouvert dans une lettre (6 janvier 1907) à Adolf Paul :

> On fonde ici [...] un théâtre intime pour l'Art moderne [...] recherche intime dans la forme, un mince sujet, minutieusement traité, peu de personnages, de grands points de vue, une imagination libre mais qui repose sur l'observation, l'expérience, bien étudiée; simple, mais pas trop; pas de grand appareil, pas de personnages secondaires superflus, pas de pièce régulière en cinq actes ou de « machines anciennes », pas de soirée entière tirant en longueur. *Mademoiselle Julie* (sans baisser de rideau) a servi d'épreuve du feu

en l'occurrence et s'est avérée être la forme que réclamaient d'innombrables personnes de notre temps. Profonde mais brève.

Définition importante qu'il y a lieu d'étoffer en citant également ici[1] ce que l'auteur a écrit des *kammarspel* en tant que genre :

> [...] C'est l'idée de la musique de chambre[2] transférée au drame. Processus intime, sujet significatif, traitement soigné.

Et :

> Si l'on demande ce que veut un Théâtre Intime, et quel est le but visé par *Kammarspel*, je peux répondre ceci : Dans le drame, nous cherchons le sujet significatif fort, mais avec des limites. Dans le traitement, nous évitons toute pompe, tous effets calculés, les endroits où l'on applaudit, les rôles brillants, les numéros de solo. Nulle forme fixée ne doit lier l'auteur car le sujet conditionne la forme. Donc, liberté dans le traitement, qui n'est limité que par l'unité de la conception et le sentiment du style.

Il y a donc lieu de présenter, ensemble, la pièce qui fut le précurseur du genre et celle qui, sans doute, en représente l'apogée. On dira que *Orage*, *La Maison brûlée*, *La Sonate des spectres* et *Le Gant noir*, toutes de 1907 et publiées cette année-là (sauf la dernière nommée qui ne paraîtra qu'en 1909) sont également des « pièces de chambre », mais on est fondé à les tenir pour inférieures au *Pélican*.

Une autre raison, qui n'aura pas manqué de venir à l'esprit du lecteur, justifie cette conjonction. Le personnage central de l'une et de l'autre de ces pièces est une femme et l'on peut bien écrire la Femme, avec majuscule, la première étant l'Amante, la seconde, la

---

1. Je reprends ces citations au commentaire fait par Gunnar Ollén pour l'édition dite nationale (Nationalupplaga) des *Kammarspel*, Stockholm, Norstedts, band 58, 1991, p. 370-371.
2. Idée qui n'a rien de rhétorique : Strindberg va numéroter ses « pièces de chambre » comme on le ferait en musique (de chambre). *Le Pélican* portera le n° 4.

Mère, chacune dans une acception dérisoire, démoniaque ou caricaturale, finalement tragique. Bien entendu, il ne faut pas négliger un des aspects les plus déplaisants de l'homme Strindberg : sa jalousie, son incapacité à supporter les « concurrents ». Et là, le rival est de taille, il ne s'agit de personne d'autre que le Norvégien Henrik Ibsen qui, lui aussi, a prodigué d'étonnants portraits de femmes, dans *Une maison de poupée* (Nora), bien sûr, mais aussi dans *Les Revenants* (Madame Alving) ou *La Dame de la mer* (Ellida Wangel), entre autres. Et il est plaisant de voir le Suédois agiter, pour son éditeur, Bonnier, le drapeau du nationalisme :

> En votre double qualité de Suédois et de misogyne [exécrateur de femmes : *kvinnohatare*], vous devriez, en entreprenant cette édition, soutenir le compatriote qui est créé pour mener un jour le drapeau bleu et jaune [= le drapeau suédois] devant le pur norvégien au foyer de la culture.

Je crois toutefois que cette explication serait trop courte. Je parlais il y a un instant de la Femme : l'amateur d'antiquités scandinaves sait que le paganisme nordique fut initialement dominé par des créatures féminines et, notamment, que la Grande Déesse[1] y tint un rôle capital et ce, jusqu'à une époque relativement récente. La Grande Déesse qui fut certainement le Soleil ou, plus exactement, « la » Soleil puisque ce vocable est féminin dans ces langues. Or les textes mythologiques nord-germaniques ne laissent aucun doute sur la nature complexe de cette divinité — qui existe sous les espèces de trois figures distinctes, l'une étant la Femme-Amante (Freyja), l'autre, la Femme-Épouse et Mère (Frigg) et la troisième, la Femme-Mort en vertu du principe qui veut que qui donne la vie soit aussi en droit de la reprendre (Skadi[2]). Il me

---

1. Voir là-dessus Régis Boyer, *La Grande Déesse du Nord*, Paris, Berg International, 1995.
2. Qui fut sans aucun doute capitale puisqu'il se pourrait bien que ç'ait été elle qui ait été éponyme de la Scandinavie (* Skathinauja [territoire qui jouit de la] chance tutélaire de Skadi).

paraît clair que Strindberg, à son insu évidemment, célèbre à sa façon le culte de la Déesse-Mère (ou Grande Déesse), Mlle Julie assumant la face Freyja/ Skadi et la mère, dans *Le Pélican*, le côté Frigg/Skadi : dans les deux cas, il y a ruine tragique, puisque Skadi est présente partout, du thème central, par dérision. Et je ne cacherai pas que c'est cette conjonction, étonnante à mes yeux, qui m'a décidé à réunir les deux pièces. Je ne tiens pas absolument à placer le présent ouvrage sous le signe de la misogynie, tellement notoire chez Strindberg [1] mais, en somme, je vois dans l'ensemble que forment les deux drames une méditation d'autant plus passionnante qu'elle n'est pas consciente, sur le thème de la Grande Déesse! En d'autres termes, et puisque cette production théâtrale a tant passionné la psychanalyse, je préférerais l'inscrire sous le signe de Jung plutôt que sous l'égide de Freud!

Il est temps maintenant de procéder à une présentation plus circonstanciée de chacune de ces pièces. *Mademoiselle Julie* étant la plus ancienne, nous commencerons par elle. Elle va d'ailleurs nous fournir l'occcasion de vérifier une fois de plus l'élaboration extrême de l'alchimie qui préside à la création littéraire chez Strindberg.

Car le sujet ne sort pas purement et simplement de son imagination, au contraire! Il est rare, d'ailleurs, que Strindberg ne parte pas d'une incitation réelle. Ici, elle est particulièrement nette. Il vit au Danemark depuis le mois de novembre 1887, dans une relative pauvreté : sa situation matérielle, de toute manière, n'est pas brillante. C'est de là, de Holte, qu'il envoie, le 10 août 1888, le texte de *Mademoiselle Julie* à l'éditeur Bonnier :

---

1. Et déjà totalement présente dans *Au bord de la vaste mer*, voir n° 677 de la GF.

Je prends la liberté, par la présente, d'offrir la première tragédie naturaliste de l'art dramatique suédois,
et je vous prie de ne pas la négliger étourdiment pour
le regretter ensuite car, comme le dit l'allemand : *ceci
datera*[1] ! = cette pièce va demeurer dans les annales.
Mes conditions sont uniquement les dépenses de production pour le travail physique [= un mois de vie] ou
bien cinq cents couronnes pour mille cinq cents exem-
plaires,

2° Une impression rapide (ne pourra jamais entrer
en concurrence avec *Vie dans l'archipel*[2]) et immédiate,

3° Une présentation acceptable en tant que livre,
non comme un texte d'opéra comme ce fut le cas pour
Les Camarades.

Quand il dit « un mois de vie », il faudrait
comprendre, en fait, deux semaines puisque ce serait le
temps qu'il aurait mis à écrire ce drame. Il n'est pas
certain que la Préface ait été rédigée en même temps
et envoyée à Bonnier avec la pièce.

Comme on le donnait à entendre il y a un moment,
cette œuvre repose sur toutes sortes d'expériences ou
impressions réelles qu'il vaut la peine de retracer briè-
vement.

Il y aurait d'abord le cas de Victoria Benedictsson,
en littérature Ernst Ahlgrén : cette étrange femme
(1850-1888), romancière de premier ordre, auteur,
notamment, de *Dame Marianne* (1887) qui est une
sorte de correspondant suédois à *Madame Bovary*,
s'était suicidée, à Copenhague, à l'hôtel Leopold où
elle était descendue; elle s'était tuée d'un coup de
rasoir le 22 juillet 1888! La cause immédiate en était
l'amour impossible qu'elle vouait au grand critique littéraire danois Georg Brandes, responsable du prodigieux essor des lettres scandinaves dans le dernier
tiers du xixe siècle. Il se trouve que le père de cette
romancière, qui vivait dans un ménage désuni, avait,

1. En français dans le texte!
2. Il s'agit des nouvelles de *Skärkarslif* (1888) qui avaient, en
effet, obtenu un franc succès, dans la ligne d'autres nouvelles ras-
semblées dans *Svenska öden och äventyr*.

lui aussi, voulu donner à sa fille une éducation de garçon ! Il semble établi que la rédaction de *Mademoiselle
Julie* ait débuté au moment où Strindberg venait
d'apprendre le suicide de Victoria. Il ne faut pas négliger cet événement : après tout, Victoria Benedictsson
assumait des positions intellectuelles qui correspon-
daient assez bien à celles de Strindberg, elle aussi
s'inscrivait résolument dans la problématique de la
modernité de ce temps-là (cela s'appelait Genombrott, « percée » [des lettres modernes]) en Suède.
Cette fin brutale n'a pas pu ne pas impressionner le
dramaturge. De même, Strindberg avait entendu parler d'une certaine demoiselle Emma Rudbeck, fille de
général, qui avait séduit son valet d'écurie pour devenir ensuite servante dans un restaurant de Copenhague : c'est ce qu'il confie dans une lettre au Danois
Edvard Brandes. Et les mauvaises langues allaient
disant que la propre femme de l'écrivain, cette Siri
von Essen dont nous avons parlé plus haut, aurait
prêté bien des traits à l'héroïne aristocratique de la
pièce. Strindberg aurait fait l'impossible pour brouiller
les pistes, prodiguer les faux renseignements et égarer
de la sorte ceux qui voulaient voir une identification
Siri-Julie. Mais il avouera vingt ans après, en 1908,
donc, qu'il avait en effet pensé très fort à sa première
épouse pour dépeindre l'amante de Jean. Lequel n'est
pas sorti non plus tout armé de son imagination : à
Skovlyst où vivait Strindberg (c'est ainsi que s'appelait le manoir plus ou moins en ruine où il avait élu
domicile, un ancien rendez-vous de chasse du roi Fre-
derik VII, en un lieu appelé Holte, à une vingtaine de
kilomètres au nord de Copenhague, Skovlyst est
représenté avec soin dans la longue nouvelle intitulée
Tschandala[1]), vivait un administrateur qui s'appelait
Ludvig Hansen, un homme de vingt-neuf ans qui
semble avoir trouvé en Jean une manière de sosie. Et

1. Qui fait partie des *Svenska öden och äventyr* (en français : *Destins et Visages*, Flammarion, 1985). *Tschandala* a fait l'objet d'une
publication à part en GF (n° 575).

plus encore : vivait aussi au manoir de Skovlyst une demi-sœur de Hansen, Martha Magdalene, qui était attachée au service de l'écrivain. Lequel n'aurait pas été insensible aux charmes de la belle, qu'il aurait honorés au moins deux fois ! Et Gunnar Ollén[1] de faire remarquer les frappantes similitudes qui s'établissent entre les attitudes des deux héros de *Tschandala*, Magelone et Törner et celles de Jean et de Julie. Ainsi, lorsqu'il découvre Magelone habillée de façon provocante, Törner sent en lui :

> la voix d'une puissante nature s'élever; des instincts qui, pendant une bonne demi-année, avaient été réprimés, s'éveillaient et s'étaient renforcés de l'espoir de pouvoir obtenir ce qu'ils avaient si longtemps dû éviter, ces instincts se dressaient avec une puissance épouvantable. [...] Un désir d'étreindre cette femme brutalement, bestialement comme un mâtin sa chienne, s'éveillait en lui [...] Il sentait en lui qu'il ne pourrait lui dire des mots d'amour, qu'il ne pourrait lui dire quoi que ce fût, non plus que mêler son âme à la sienne, ouvrir des perspectives sur un avenir [...] lui et elle ne se rencontreraient que comme une bête rencontre une bête, après quoi elles se quittent !

et il éprouve, après l'avoir possédée,

> un écœurement, l'épouvantable sensation de saleté que son esprit ne pouvait éprouver qu'une fois que l'ivresse était passée, une sensation si forte qu'il trouvait que toute chose avait été souillée, sa chambre, son corps, son âme. Jamais il n'aurait cru possible une chose aussi infiniment repoussante.

Il y a d'évidence des traces de la même attitude chez Jean après la conquête de la fantasque Julie. Ces détails pour établir que des incitations bien réelles ont présidé, en première analyse, à l'élaboration de la pièce : Strindberg, comme tous les grands romantiques ou épigones de cette tendance littéraire, était parfaitement incapable de sortir de soi.

1. Dans l'édition de la pièce, référence de la note 1, *supra*, p. 26.

Sur le plan technique, en plus des remarques qui ont déjà été faites, il y a lieu de s'émerveiller devant le petit chef-d'œuvre de précision, comme mécanique, que représente *Mademoiselle Julie*. On aura lu avec la plus grande attention la brève citation où l'auteur établit les raisons du parallélisme entre musique de chambre et *kammarspel*. On aura relevé, notamment, ce « traitement soigné » qu'il assigne à l'une et l'autre manifestations artistiques. Il avait été fasciné, dans le théâtre classique français, par les célèbres trois unités (de temps, de lieu et d'action) : on constatera aisément qu'elles sont impeccablement respectées ici. L'action dure quelques heures, tout se passe dans la cuisine du château du Comte et rien, absolument rien, ne vient troubler le déroulement implacable de l'intrigue. Pareillement, lorsqu'il réclame un petit nombre de personnages et un argument chargé de matière, on ne saurait refuser ces caractères à sa pièce : trois acteurs (quatre à la rigueur si l'on tient compte de la voix du Comte exprimée dans le tube acoustique), et une action qui rebondit constamment selon les tropismes majeurs mais successifs de Julie. Ces traits, comme tant d'autres, nous sont aujourd'hui tout à fait familiers : on voudra bien admettre qu'ils étaient vraiment révolutionnaires en 1888, et déjà sur le plan purement matériel. C'est pourquoi j'ai tenu à faire figurer en tête de la traduction que l'on va lire la célèbre Préface que Strindberg rédigea pour sa pièce. Je ne m'attarderai pas, ici, sur la peine qu'il se donne pour justifier le choix de son sujet, pas davantage que sur les considérations, devenues classiques depuis, à propos de la notion de « caractère ». Cela fait partie, maintenant, de notre patrimoine artistique en matière non seulement de théâtre mais d'analyse psychologique, purement et simplement, et je ne vois pas la nécessité d'insister. Mais on relira avec soin les précisions sur le dialogue, sur le refus de diviser la pièce en actes, sur le décor qui ne change pas, sur l'absence de rampe, sur le refus de maquiller les acteurs, etc. Nous avons si bien pris l'habitude de ces dispositions que

nous ne voyons là plus rien d'original, mais tel n'était
pas le cas il y a un siècle! Et il y a en conséquence
quelque chose de réellement neuf tant dans le sujet
même que dans la technique mise en œuvre : on ne
saurait passer le fait sous silence.

Cela explique aussi le type d'accueil que reçut, en
son temps, cette pièce. Mitigé serait le mot. Il faut dire
aussi que le sous-titre choisi par l'auteur lui-même ne
pouvait rien faire pour rassurer le spectateur. Tragédie « naturaliste », soit! Là encore, nous en avons vu
d'autres. Mais à l'époque? On voudra bien considérer
que l'épithète en question n'avait pas bonne presse en
cette fin de siècle et surtout vers les années 1890, en
Scandinavie, où, après les excès « naturalistes » et
autres (tous situés dans la même perspective, qu'il
s'agisse de critique religieuse, de positivisme, de scientisme ou autres -ismes à la mode à l'époque) un mouvement de réaction s'amorçait qui coïncidera assez
bien avec notre Symbolisme et s'appellera, en Suède
précisément, *80-tal*, littérature des années 1880[1]. La
référence que fait un peu naïvement Strindberg aux
frères Goncourt, dans la même Préface, situera le
débat. Il y avait, dans *Mademoiselle Julie*, et surtout en
un pays tout imprégné de puritanisme, de conscience
des classes sociales et de respect comme invisceré du
magistère chrétien, trop de volonté de scandaliser (les
indispositions régulières de l'héroïne, le valet qui
séduit une aristocrate, la manière de bafouer implicitement, malgré les rappels de la cuisinière, les lois
morales chrétiennes, etc.) pour que la chose pût passer sans difficultés. Bonnier, d'ailleurs, refusera de
publier le manuscrit. Il faudra que l'auteur cherche
ailleurs, auprès de J. Seligman qui finira par accepter
d'éditer la pièce. Même un critique averti et tout à fait
moderne comme Edvard Brandes réagit de façon
quelque peu nuancée :

1. Pour situer ces tendances importantes, je me permets de ren-
voyer à l'*Histoire des littératures scandinaves*, Fayard, 1996, chapitre
VI.

Mademoiselle Julie : brillante au total... jusqu'à la conclusion. [Mais] elle éveille mes doutes. On ne se tue pas lorsqu'il n'y a pas de danger menaçant et ici, il n'y a pas de danger. Peut-être dans cinq mois, mais pas cette nuit-là. La fin est romantique, c'est une conclusion forcée à cette pièce, une conclusion à sensation. Elle fait un effet brillant. Seul un grand acteur peut jouer Jean, la cuisinière est brillante. Mademoiselle, moins nouvelle.

La critique officielle fut très dure. La pièce fut traitée de « tas d'ordures » (*sophög*), on la jugea « répugnante » parce qu'elle violentait le sens de la décence, que sa crudité sexuelle était excessive. Voyez ce qu'un critique (anonyme) écrivait dans le *Stockholms Dagblad* du 23 décembre 1888 : « un paquet de loques crasseuses à prendre à peine avec des pincettes » ! La réaction ne fut guère meilleure au Danemark.

Et, chose plus inquiétante, les meilleures actrices de l'époque refusèrent de jouer le rôle de Mademoiselle Julie !

En fait, nous le voyons bien aujourd'hui, Strindberg introduisait avec cette pièce une nouvelle façon de concevoir non seulement le théâtre, mais la littérature et l'art en général. Nous appelons expressionnisme cette formule nouvelle : disons que les temps n'étaient pas encore mûrs pour l'admettre.

Car il faudra attendre dix-sept ans, après que la pièce eut été jouée à Berlin (1892), à Paris (au Théâtre Libre, 1893), pour que *Mademoiselle Julie* voie enfin le jour en Suède — avec un franc succès, au demeurant, comme on l'a déjà dit. Antoine l'avait aimée[1] :

Mademoiselle Julie a causé, au fond, une énorme sensation. Tout a passionné le public, le sujet, le milieu, ce resserrement en un seul acte d'une heure et demie d'une action qui suffirait à nourrir une grande pièce française.

Ajoutons que, depuis, c'est le drame le plus joué de

1. Je reprends cette citation à l'édition de L'Arche, tome 2, p. 565.

Strindberg, tant en Suède qu'à l'étranger! Et que
d'éminentes actrices, comme Ludmilla Pitoëff,
Nadine Alari, tant d'autres ont été fascinées par le
rôle-titre, tout comme une actrice de la qualité d'Anita
Björk dans le film de Sjöberg!

En plus de tout ce qui a déjà été suggéré ici, on peut
se demander pourquoi ce personnage a quelque chose
de tellement fascinant. L'analyste voit bien que cette
pièce — dont les éléments autobiographiques ont été
mis en valeur — peut appeler des tentatives d'élucidation d'ordre psychologique, ou sociologique, ou carrément moderniste dans le sens littéraire. Il sent bien
aussi qu'aucune formule ne parviendra à en épuiser la
richesse : à la limite, il y a quelque chose qui résiste à
la volonté d'« explication » et l'on est en droit de tenir
que c'est là la marque du grand art.

On peut, ainsi, mettre l'accent sur le côté social,
sociologique, comme on vient de le dire. Le sentiment
d'appartenance à une classe était très vif dans la
Suède de la fin du siècle dernier, même si le fait a
quelque chose de surprenant aujourd'hui! C'est déjà
visible au niveau de l'expression ordinaire : voyez
comme tutoiement, vouvoiement et façon de s'adres-
ser à la troisième personne interfèrent chez les trois
personnages. Malgré l'étrangeté, pour un Français,
j'ai voulu respecter ces procédés dans la traduction. Ils
situent mieux que tout commentaire, au niveau précis
des protagonistes, les problèmes sous-jacents. Il n'est
pas indifférent, par exemple, que Kristin, la cuisinière,
s'adresse à Jean, son prétendu fiancé, à la troisième
personne, alors que lui la tutoie. Et les passages du
vous au tu que pratique Julie ne sont jamais gratuits!
Semblablement, le lecteur pourra regimber un peu
devant la servilité affichée de Jean vis-à-vis du Comte,
personnage quasi mythique qui n'existe que par sa
voix, d'ailleurs inaudible. Et par ses bottes, bien présentes sur le devant de la scène. Il se souviendra, le
lecteur, que le petit-bourgeois Strindberg qui se savait
bien l'égal, par l'esprit, des plus grands de ce monde,
n'a jamais admis ces clivages sociaux : encore un trait

bien romantique qu'il tenait probablement de son aîné
C.J.L. Almquist [1], lequel, lui, était un authentique aristocrate! Et qui s'exprime aussi dans le fait que Julie
nous est clairement donnée pour une dégénérée, tout
comme Maria dans *Le Plaidoyer d'un fou*, qui

> tend à éradiquer une race parce qu'elle a le senti-
> ment d'être une créature dégénérée, en état de dissolu-
> tion.

Après tout, Strindberg avait épousé une véritable
aristocrate en la personne de Siri von Essen et l'on sait
qu'il était obsédé par les inégalités qu'il sentait entre
elle et lui? Y a-t-il une obscure et comme sadique
compensation dans le fait qu'il fasse se suicider son
héroïne? ou qu'il pousse son personnage de parvenu
(mentalement) à la faire se suicider? Le motif a préoccupé le dramaturge. Nous avons vu, d'ailleurs,
qu'Edvard Brandes réagissait de manière peut-être
pas exactement approbatrice à cet égard. Toujours
est-il que Strindberg tient à justifier ce trait. Il écrit à
Georg Brandes, frère d'Edvard, qui, en tant qu'amant
rêvé de Victoria Benedictsson, avait bien dû méditer
la question :

> Le suicide est correctement motivé : dégoût de
> vivre, désir de mettre fin à la race dans ses mauvais
> individus, sentiment de honte aristocratique devant la
> copulation avec une espèce inférieure, et plus précisé-
> ment : les suggestions fournies par le sang de l'oiseau,
> la présence du rasoir, la crainte de la découverte du
> vol [2] et le commandement de la volonté plus forte (tout
> près, le domestique, plus loin, la sonnette du Comte).
> Notez que la demoiselle abandonnée à elle-même
> manquerait de force, mais maintenant, elle est menée
> par ces motifs divers.

Sur le plan psychologique, appliqué à la Femme, on
a tant écrit que je me permettrai d'être plus bref. Et de

---

1. C'est l'auteur de *Sara* et du *Joyau de la reine*, tous deux tra-
duits en français.
2. Il veut dire : la crainte que Julie éprouve de savoir que le vol
qu'elle a fait de l'argent de son père soit découvert.

ne pas ajouter aux innombrables réflexions qui ont été faites sur un sujet qui, en nos temps de féminisme déclaré, me paraît suffisamment débattu! Un détail seulement : il y a, chez le presque quadragénaire qui écrit *Mademoiselle Julie*, ce que nous appellerions une sorte d'obsession sexuelle, ou, au moins, une attention assez surprenante à ce thème. Il entendait être d'une sincérité totale dans les descriptions qu'il proposait de la vie. Il était certain que la femme était, beaucoup moins que l'homme, capable de se dominer en la matière. Déjà dans son essai, *L'Infériorité de la femme envers l'homme* (1888) qui date, donc, de l'époque de la rédaction de *Mademoiselle Julie*, il insiste sur les règles féminines et voit l'infériorité de la femme dans le fait qu'elle est :

> la propagatrice de la famille alors que l'homme est le créateur de l'espèce, celui qui se charge de la différenciation.

Je ne ferraillerai pas sur la misogynie de Strindberg, je ne m'appesantirai pas, notamment, sur le fait, évident, qu'il n'a tant accablé la Femme que parce qu'il l'accusait, inconsciemment, de n'être pas ce qu'il eût tant aimé qu'elle fût, pour toutes sortes de raisons. Rapport de dépendance, encore une fois, révérence implicite envers cette Déesse-Mère que j'ai évoquée plus haut. J'insisterai uniquement sur un trait congénital de cet esprit : sa hargne, sa violence de détestation. C'est plus que de la provocation, c'est, réellement, de l'incapacité à apprécier sereinement, avec distance, ce dont il entend parler. Il n'a jamais, d'un bout à l'autre de sa vie, été capable d'admettre sa condition, il a brûlé ce qu'il adorait, si l'on veut, il a surtout tué ce qui, à ses yeux, l'empêchait de vivre selon ses rêves fous. Et Julie en fait les frais, ici, mais innombrables sont ses autres victimes...

La même rage sévit aussi bien dans sa satire cinglante de la religion. Qu'il méprise, dit-il. Jean est expressément chargé d'incarner cette position. Mais Strindberg est tout aussi obsédé de Dieu que de la Femme, et pour les mêmes raisons, s'il faut le dire.

Lorsqu'il déclare, à V. von Heidenstam, qu'il est
« athée », nous avons le droit de rire tout comme
lorsqu'il se proclame « exécrateur du Christ ».

En réalité, il y aura eu, chez ce primaire supérieur
incapable de recul vis-à-vis de la matière qu'il traitait,
une conception de la condition humaine sous ce qu'il
faut appeler un rapport de forces. Dieu plus fort que
la créature humaine, la Femme plus forte que
l'Homme, ce ne sont là que quelques-unes des oppo-
sitions hors desquelles il ne concevait pas l'existence.
La plus claire expression qu'il ait donnée de cette thématique revient à ce combat d'âmes, *själakamp*, cette
« lutte des cerveaux », *hjärnornas kamp*, dont son
œuvre tout entière propose tant d'illustrations. Sché-
matiquement : il y a une hiérarchie entre les êtres
humains, certains sont plus forts que d'autres, et le
fort n'a de cesse qu'il n'ait subjugué le faible. Cela
peut se produire de toutes sortes de façons, physiques,
bien entendu, mais plus souvent, et plus subtilement,
mentales ou morales. En général, la Femme est mieux
armée que l'Homme pour mener ce combat, mais ce
n'est pas absolument nécessaire : la preuve, Jean la
fournit, qui domine Julie jusqu'à insinuer dans son
âme ce dégoût total d'elle-même qui la poussera à
refuser de poursuivre une existence déchue. Mais Jean
lui-même est dominé par l'idée qu'il se fait du Comte
et ce dernier à son tour, s'il faut en croire les allusions
qui sont prodiguées par la pièce, a été passablement
écrasé par sa femme. Et ainsi de suite. Le Latin pour
qui *stat in medio virtus* pourrait passer pour une règle
de vie a souvent quelque peine à saisir ces psychismes
tranchés que sont les germaniques, ces mentalités
comme radicales qu'a si bien exprimées le Danois
Kierkegaard en posant les termes brutaux de son
choix : ou bien... ou bien, comme si le moyen terme
n'était pas pensable ! Et Strindberg est un frère d'âme
du philosophe danois. Comme ce dernier, l'idée qu'il
se faisait de l'amour et de son vecteur a tué (au moins
dans son art !) celle qui en était l'expression ! Mais que
la conception de la vie, notamment amoureuse,

comme une lutte ait présidé à la création de la pièce que nous allons lire, cela semble clair. Strindberg parle, dans une lettre à Georg Brandes, d'« hypnotisme éveillé » : pourquoi pas ? Ce genre de pratiques était à la mode à la fin du siècle dernier et le spécialiste n'a aucun mal à retracer une démarche connue, en particulier dans la célèbre scène de l'oiselet au cou tranché.

Qu'il y ait eu « calcul » ou, en tout cas, évaluation sur l'essence de ce drame, je n'en saurais donner une idée meilleure qu'en montrant à quel point Strindberg hésita avant de conclure. Nous avons conservé les divers brouillons (en vérité, des annotations qu'il a fait figurer au crayon dans les marges de son manuscrit) de la fin de la pièce. Voici les diverses solutions qu'il envisagea :

1. Jean et Kristin vont à l'église, « se confesser ». Julie se met à mort dans la solitude.

2. Julie « se tranche la veine » en s'écriant : « Tu vois, valet, tu ne pouvais mourir, toi. »

3. Après l'indication scénique où il est dit que Jean « lui chuchote à l'oreille », le drame se conclut par :

Mademoiselle
(*Attentive, résolue, tout en sortant à pas assurés par la porte de verre*)
Merci ! [Elle ajoute, peut-être : « Maintenant, je vais me reposer »]

Jean
C'est affreux !... Mais il n'y a pas d'autre issue !

Rideau

4. Après la réplique de Jean : « C'est affreux !... Mais il n'y a pas d'autre issue ! », on ajoute une indication scénique : (« deux forts coups de sonnette ; Jean sursaute et reste désemparé pour savoir s'il va fuir ou non »). Sur quoi le rideau tombe.

5. La version finale, imprimée, après le « chuchote à

son oreille » de Jean, a été sensiblement augmentée,
entre autres choses par le raisonnement sur les fins
ultimes et premières et sur le contenu de l'appel de la
sonnette, et terminée par l'indication des deux forts
coups de sonnette, qui amènent Jean à ordonnner à
Mademoiselle : « Allez ! »

On voit que le suicide de Julie n'était pas conçu
comme indispensable. C'est tout de même la solution
que l'auteur a retenue et il est permis de se demander
pourquoi. Et là, une dernière idée pourrait s'imposer.
Strindberg a écrit, dans une lettre à Georg Brandes
encore :

> En tout drame, il y a *une scène*[1] ! C'est elle que je
> veux ; qu'ai-je à faire de tout le fatras restant !

La scène finale de *Mademoiselle Julie* où l'héroïne
sort, le rasoir fatal à la main, sur les injonctions du
valet affolé par les coups de sonnette a quelque chose
de sauvage ou de grandiose ! J'y vois plus qu'une
« scène » à faire : une image. Et il me semble que tout
l'art du grand Suédois est littéralement animé par de
telles images. Cette pièce est particulièrement riche en
exemples du fait : les bottes du Comte, le cou coupé
de l'oiselet, le rasoir, les bas blancs de la petite Julie,
par exemple. J'ai parlé plus haut d'activité icono-
motrice : je tiens qu'il ne serait pas bien difficile de
démonter, en structure profonde, une pareille pièce à
partir des grandes images qui la mènent. L'analyse, au
demeurant, n'est pas réservée à August Strindberg :
ces artistes scandinaves sont menés par des images,
plus que par des idées ou des passions. La démonstra-
tion serait facile à faire à partir d'autres inspirations
nordiques. Et qui ne voit que, de la sonnette fatidique
au sang violemment versé en passant par l'hôtel suisse
ou le « ballet », la « pantomime », tout revient à de fascinantes, fulgurantes images par lesquelles il suffirait,
au fond, de se laisser mener, sans trop chercher à

---

1. Les italiques sont de moi. « Une scène » est en français dans le
texte.

ratiociner ? Car elles conservent, indépendamment des temps et des lieux, un pouvoir magnétique et contagieux, ce sont elles qui suffisent à assurer à un pareil chef-d'œuvre une durée incontestable qui fait que la pièce est jouée avec autant de succès en 1997 qu'en 1888.

*
**

Sur le fond, il n'y a pas de remarques tellement différentes à faire concernant *Le Pélican*. Peut-être cette pièce sent-elle un petit peu plus la thèse, peut-être le presque sexagénaire qui l'écrit est-il devenu plus amer, plus grinçant aussi, mais en essence, nous n'avons pas changé de registre. Et, finalement, ce sont des observations du même type que nous allons avoir à faire.

D'abord, notons que cette pièce-là aussi a des fondements bien établis dans une expérience réelle. L'auteur vit seul dans son appartement de Karlavägen, à Stockholm, il s'est séparé de Harriet Bosse en 1904. Il écrit beaucoup, sans doute pour combler sa solitude : le récit *Seul* (1903), le roman *Les Chambres gothiques* (1905), le recueil de poèmes *Jeux de mots et art mineur* (1905), le roman *Drapeaux noirs* (1907). Au théâtre, après avoir connu une période de francs succès, il est au creux de la vague, du moins en Suède. Jusqu'à 1901, il a joui des faveurs du public comme de la critique, mais à partir de *Pâques* (1901), c'est de nouveau l'incompréhension, chose d'autant plus surprenante qu'à l'étranger, en particulier en Allemagne, il s'impose, grâce à Max Reinhardt et à *Mademoiselle Julie*. Ce n'est pas pour autant qu'il se décourage, il ne cesse d'écrire pour la scène et les premières représentations du *Pélican*, en 1907, provoqueront des réactions critiques de qualité, comme celle-ci, de Gustaf Uddgren, dans la revue *Ridå* :

> Une forte soirée théâtrale, pleine d'ambiance, dans le grand style, une de celles qui constituent une pierre milliaire dans votre vie — voilà la première impression

globale de la première de mardi au Théâtre Intime. Ensuite : la résurrection du vieillissant Strindberg, dans tout son éclat d'écrivain, tel que nous l'aimons du temps du *Père* et de *Mademoiselle Julie*. Avec *Le Pélican*, il nous offre de nouveau une peinture de l'homme en traits géants — la mère dévoratrice — un monstre sous forme humaine.

Sans qu'il s'agisse d'une réaction tout à fait isolée, il convient de dire, toutefois, que l'accueil ne fut pas globalement de cette venue. Il faudra attendre que Max Reinhardt monte la pièce à Berlin, en 1914, pour que le succès soit total.

Là encore, quelque chose d'excessif ou de trop provocant retenait le grand public dans son approbation. Il se peut également que le moment ait été mal choisi pour faire jouer un pareil pamphlet. On a fait remarquer que la mode, en 1907, était à Maeterlinck avec ses personnages plus ou moins muets évoluant dans une demi-pénombre, ses longues pauses pleines de sous-entendus, son style solennel... *Le Pélican* donnerait plutôt dans le genre expressionniste et, là encore, la violence ne fait pas défaut ! Voilà pourquoi l'avant-première, le 26 novembre 1907, à l'Intima Teater, avait été un demi-échec.

C'est le vieux treuil à tambour[1] de Strindberg qui est en marche, de nouveau : des êtres humains qui s'entre-écrasent, de la haine et du désir, du péché et du crime, la femme méchante, la vie de chien du foyer, une atmosphère de soupçons, de mensonges et de malédictions, toute l'atmosphère dépravée du drame conjugal de l'écrivain vieillissant [...]. Un rêve mauvais et désemparé, voilà ce que c'est, et la méchanceté est un rêve dans ce rêve.

Telle est l'opinion de Bo Bergman dans les *Dagens Nyheter* du 26 novembre. Et Sven Söderman, dans le *Stockholms Dagblad* du lendemain n'est pas plus tendre :

1. *Trampkvarn*, un moulin que l'on actionnait en foulant des pédales du pied.

> [*Le Pélican*] est essentiellement constitué de conversations entre personnes anormales qui figurent comme des automates les idées fixes de Strindberg, ses représentations des désaccords mutuels entre membres de la famille et proches. [...] Conversations dépourvues de bon sens, parfois illuminées d'un éclair de vérité éblouissante, méchanceté naïve de grands enfants les uns envers les autres, actes de fous et conflits furieux, terreur des fantômes et lamentations muettes sur le malheur d'être homme. Image faussée par une imagination malade et désaxée, du monde dans lequel nous vivons.

Pourtant, on est en droit de répliquer que l'auteur n'a presque rien inventé! Il avait une sœur, Anna, qui venait de perdre, en 1906, son mari, Hugo Philp, directeur d'une sorte de boîte à bachot, lequel se serait écrié au moment de mourir : « Voilà l'été, je veux dormir » (on relira la dernière repartie du Fils : « C'est l'été. [...] Les vacances commencent. »). Anna et Hugo avaient déjà servi de modèles pour le couple Alice-le Capitaine, de *La Danse de mort* : ici comme là, il est question de noces d'argent, dans la même atmosphère hypocrite. D'autre part, C.G. Bjurström fait remarquer[1] que le détail, plutôt inattendu, voire saugrenu, dans *Le Pélican*, du « champ de tabac » où le père hurle son chagrin renverrait peut-être à un passage du *Journal* de l'écrivain où il dit, alors qu'Anna était venue passer quelques jours chez lui :

> Le soir, j'ai entendu des appels au secours venant des terrains vagues en bas, comme si un ivrogne était tombé dans le fossé. J'ai cru que c'était Philp, mais il était à Uppsala.

Anna avait eu de Hugo deux enfants, Märta et Henry et elle vivait avec eux ainsi qu'avec le mari de Märta, Hugo Fröding : la situation (mère + deux enfants dont une fille mariée + le mari de celle-ci) est donc strictement la même que dans la pièce. Les Frö-

---

1. Dans l'édition du théâtre de Strindberg publiée par L'Arche, tome VI, 1986, p. 514.

ding connaissaient de grosses difficultés matérielles qui avaient impressionné Strindberg. Mais ce n'était pas pour autant qu'il était tendre envers sa sœur. Il la dépeint plusieurs fois sous les espèces d'une *moders-humbug* (un charlatan maternel). Et sans doute, y a-t-il une part, une petite part de vérité dans cette pièce : c'est toujours la même chose, il faut se méfier de ce qu'il écrit et rien n'est plus imprudent que de réagir comme le fait, par exemple, O. Lagercrantz lorsqu'il estime que la Mère, dans *Le Pélican*, est « le plus horrible des autoportraits de Strindberg » ou « une variante féminine de l'auteur au fond de l'enfer des réprouvés ». C'est oublier trop rapidement cette manie de l'outrance que je suggérais plus haut et qui relève certainement, non seulement de l'idiosyncrasie de l'auteur, mais aussi de cette coloration expressionniste qu'il donna, comme naturellement, à sa production.

En revanche, sur certains points matériels qui constituent comme une obsession permanente chez notre auteur, il n'y a pas lieu de prendre des distances. Ainsi de sa conviction, maintes fois affirmée, qu'un enfant qui n'a pas été élevé au sein maternel est inévitablement chétif; ou encore de cette véritable idée fixe que représente la nourriture, notamment celle dont on a « retiré de la force ». Voyez ce passage, également cité par C.G. Bjurström, de son *Journal* (il vit donc seul, sa sœur Anna vient l'aider de temps à autre, mais ils se supportent avec peine mutuellement) :

> 25 août. En rentrant à 12 heures, je trouve l'appartement rempli de l'odeur de volaille. Je vais à la cuisine et j'en demande la raison. Mademoiselle [sa bonne] me répond que pour cuire une gélinotte, il faut trois heures. Je regarde le livre de cuisine, il y est indiqué trois quarts d'heure. Voici que recommencent les horreurs de ce printemps — je suis contraint de manger des victuailles qui ont été abîmées, après quelqu'un qui mange avant moi. Et si je me plains, mademoiselle s'en va et je suis obligé de manger la nourriture des cochons. Pourquoi faut-il qu'il en soit ainsi ? Qu'ai-je fait ? Je n'ai jamais traité ainsi mon prochain; je donne volontiers, mais je ne veux pas manger des reliefs dans

ma propre maison! et entretenir un vampire qui me
prend mes forces[1].

Donc, là comme dans *Mademoiselle Julie*, il est clair
qu'une ou des incitations extérieures ont d'abord provoqué l'écriture. Il ne messied pas de rappeler le fait,
s'agissant du grand maître du théâtre dit onirique (*Le
Songe*, *Le Chemin de Damas*, *La Grand-Route*) que l'on
aurait souvent trop tendance à prendre pour l'on ne
sait quel mystique! Le prétexte n'est que très rarement littéraire, il sort de la réalité immédiate et directement vécue par l'auteur.

Sur le plan technique aussi, *Le Pélican* appelle quelques commentaires. Cette pièce est difficile à jouer, en
premier lieu pour des raisons qui vont de soi : le rôle
de la Mère est des plus délicats à exécuter, entre
grosse caricature ou pathétique larmoyant, insuppor-
table à la limite. Ici, de nouveau, nous sommes en présence d'une pièce dite d'acteur, ce qui, en un sens,
renforcerait l'impression, déjà notée, que Strindberg,
une fois de plus, consciemment ou non, n'importe, se
met en scène, littéralement! Difficile à jouer, difficile à
monter également. Elle n'a pas la rigueur linéaire de
Mademoiselle Julie, un motif comme baroque vient
fréquemment gâter les perspectives, le personnage du
gendre, par exemple, est souvent en porte-à-faux. À la
limite, il y a un élément comme farfelu ou caricatural
à l'excès qui pourrait autoriser toutes les fantaisies.
C'est bien ce qu'a vu Per Verner-Carlsson lorsqu'en
1968, au Théâtre dramatique de Stockholm, il pro-
posa, à la file, deux versions de la pièce, l'une dans le
goût naturaliste, l'autre, dans la foulée, selon « un
rituel panique et comique[2] ». Difficulté qui explique
pourquoi, en France, la pièce n'aura été montée pour
la première fois qu'en 1956! L'auteur était conscient
des obstacles, d'ailleurs : il a hésité entre la faire jouer
en trois actes, telle qu'elle est publiée, ou bien en un
seul, sans interruption, donc.

---

1. *Op. cit.*, p. 513, où l'on rappelle aussi que le premier chapitre
du *Fils de la servante* s'intitule « La peur et la faim ».
2. *Ibidem*, note p. 521.

Sans doute est-ce, on l'a signalé, que trop d'éléments interviennent ici. Alors que dans *Mademoiselle Julie*, les divers thèmes possibles peuvent aisément s'entrelacer pour former un tout cohérent, *Le Pélican* manque d'un principe d'unité si ce n'est, on y reviendra, sur celui que suggère le titre. Mais même ainsi, on peut le prendre selon deux acceptions contradictoires, qui sont clairement expliquées dans la pièce même, selon que l'on fait droit à la légende du pélican sacrifié pour ses petits ou que l'on s'en tient à une vue « scientifique » de la chose, qui contredit carrément la précédente. Il y a trop de fantômes aussi, réels, si l'on peut dire (celui qui fait se balancer le fauteuil, par exemple) et imaginaires (ceux que s'invente la Mère). Tout est mensonge mais les personnages ont leur vérité qui s'édifie à partir d'eux, ou contre eux. Et puis il fait froid, terriblement froid dans ce microcosme où évoluent des hommes et des femmes faméliques, que ce soit véridique ou prétendu !

Trop de thèmes, assurément. Comme si l'auteur avait voulu, tout soudain, déverser pêle-mêle tout ce qu'il sentait avoir encore à dire... Mais ce n'est pas pour autant que la veine est tarie, tant s'en faut ! En fait, on s'extasie sur la polysémie de *Mademoiselle Julie*, qui a en outre l'avantage d'être dominée. Peut-on dire ! Mais cette multiplicité de sens est tout aussi riche dans *Le Pélican*, si ce n'est que l'on sent, que l'on suit moins nettement la ligne de plus grande pente qui nous conduirait au terme. Tragédie dans un cas comme dans l'autre, mais tragédie à la grecque là, menée de bout en bout avec une rigueur admirable, tragédie baroque ici, que l'on sent susceptible de dévier à tout moment pour verser dans la farce.

Prenez l'aspect terrifiant que l'on peut donner à ce texte. C'est ainsi que Strindberg l'a plusieurs fois qualifié : *fasansfull* ou, en allemand, *schauderhaft* ! Car il est bien facile de passer, ici, de scènes réalistes à des visions cauchemardesques : le personnage de Gerda évolue constamment dans un territoire limite où le tératologique interfère sans cesse avec le normal. La

pièce devait s'intituler d'abord *La Main sanglante*
parce que l'auteur l'écrivit alors qu'il souffrait d'un
psoriasis, ce qui fait que sa main saignait en écrivant :
il aurait brûlé ce premier jet. Il écrit à Schering, qui est
son traducteur en allemand et son diffuseur :

> L'opus 4[1] des pièces de chambre est en route : elle
> est plus horrible que les autres! [...] Maintenant, je
> vous en prie, lisez mes nouvelles pièces uniquement
> comme telles; c'est comme d'habitude une mosaïque
> de la vie des autres et de la mienne, mais ayez la bonté
> de ne pas y voir une autobiographie ou des confes-
> sions. Ce qui ne correspond pas aux faits est œuvre
> poétique, pas mensonge.

La dernière phrase mérite méditation! Elle a l'intérêt, en tout cas, de nous fournir une réponse aux
nombreuses questions que nous nous posons depuis
le début du présent essai!

Car une chose au moins « correspond aux faits »
chez cet écrivain définitivement marqué par l'éducation luthérienne qu'il a reçue. C'est la lutte qu'il mène
contre les « clichés éthiques » dont il a été nourri
depuis toujours. Il y aurait déjà la même chose à dire
au sujet de *Mademoiselle Julie*, mais ici, la charge est
plus rude. Car c'est la Mère qui est visée, la Mère et
son mythe de sacrifiée à sa famille alors qu'en vérité,
c'est elle qui la sacrifie. On ne brodera pas ici sur le
motif rebattu de la différence entre la mère qui élève
ses enfants pour elle-même et celle qui les élève pour
eux. Il ne se peut pas que Strindberg n'ait pas été
tenté par ce thème, en tant que misogyne, il va sans
dire, et aussi parce qu'il fut l'un des grands pourfen-
deurs qui aient jamais été de ces « nobles » images,
qu'il a bien dû subir, à l'usage du petit-bourgeois
médiocre et faux. Et bien-pensant! Les quatre *kammarspel*[2] constituent, on l'a dit, une sorte d'inventaire

---

1. C'est, on se le rappelle, le « numéro » que porte *Le Pélican*. La
première phrase citée est extraite d'une lettre du 1er avril 1906, le
reste, d'une autre lettre écrite le lendemain. Le tout est cité d'après
le volume de L'Arche déjà exploité dans les notes précédentes.
2. Rappelons qu'il s'agit, en plus du *Pélican*, d'*Orage*, de *La
Maison brûlée*, et de *La Sonate des spectres*.

de la façon dont l'existence humaine est chargée de
ces clichés moraux qu'un regard lucide réduit à néant
en un tournemain! Et ce dynamiteur de premier ordre
que fut Strindberg ne pouvait laisser passer ces occa-
sions de mettre le feu aux poudres!

Mais voulez-vous une autre ouverture encore?
Strindberg avait envisagé d'intituler cette pièce *Les
Somnambules*. Et nous voici orientés, du coup, vers
une tout autre piste. Car enfin : qu'est-ce que ces cris
venus de l'inconnu, cette chaise longue qui se balance
toute seule, ces coups que l'on frappe à la porte sans
que l'on sache qui en est le responsable? Relisez *La
Sonate des spectres* : ne sommes-nous pas là dans un
monde de rêveurs éveillés? Rappelons-nous que la
pièce a été écrite au cours de la période pendant
laquelle l'auteur pensait voir, partout, des « signes »,
celle où ont vu le jour les *Livres bleus* avec leurs éton-
nantes divagations sur tous les sujets possibles,
l'accent étant régulièrement mis sur l'occulte, le sur-
naturel, le mystique ou, au moins, le mystérieux. En
sorte que *Le Pélican* trouve soudain une force et une
grandeur remarquables et, pour tout dire, une modernité vraiment saisissante. On a assez parlé de la technique du « réveil lucide », si chère à la littérature euro-
péenne des années cinquante de notre siècle,
notamment. Vous vous rappelez : on vit dans ses
habitudes, son environnement banal, ses petits rêves,
amours, désirs, besoins, croyances, etc. Et puis, un
jour, on se retrouve en pleine lucidité, on voit, ne
serait-ce qu'un instant, la vérité en face et alors, on se
connaît misérable, ou absurde, ou vide. Toute une littérature dite existentialiste ou absurdiste a vu le jour
sous ces auspices, et non moins dans le Nord, où elle
aura été abondamment représentée. Eh bien! la voici
en pleine lumière dans *Le Pélican* où toute une galerie
de menteurs se découvrent soudain dans leur nudité
effrayante. La citation qui suit est extraite de *La Maison brûlée*, autre *kammarspel*, mais elle vaut parfaitement pour *Le Pélican* :

L'étranger

Quand les yeux se sont rassasiés de toute cette faus-
seté, on tourne le regard vers l'intérieur et on voit son
âme. Là, il y a vraiment quelque chose à contempler...

La femme

Et que voit-on?

L'étranger

On se voit soi-même! Mais quand on s'est vu soi-
même, on meurt.

Ce texte pourrait servir d'exergue à notre pièce. Il
permet aussi, contredisant certaines affirmations
avancées plus haut, de concevoir que l'on puisse jouer
Le Pélican avec doigté, sans craindre le ridicule!

Ne laissons pas passer, sans plus, la dernière réplique.
Il y a une idée essentielle dans *Le Pélican*, comme, d'ailleurs, dans *La Sonate des spectres* : c'est qu'un être
humain ne saurait vivre lorsque ses illusions se brisent et
qu'il voit son existence dans toute sa vérité. En toute
lucidité, disais-je tout à l'heure. La Mère a soudain pris
conscience de son égoïsme et de sa méchanceté. Le fils
et la fille ont fini par perdre leurs illusions. En conséquence, les uns et les autres mettent fin à leurs jours en
se précipitant soit dans le vide, soit dans le feu. Je trouve
remarquable qu'une représentation du même genre
hantât déjà les sagas islandaises du XIIIᵉ siècle, savoir que
quiconque voit en face son destin doit mourir : cela
s'appelait *fylgja*, c'était une figuration féminine, une
sorte d'ange gardien si l'on veut, à laquelle il arrivait, en
effet, de paraître devant son « support » — et dès lors,
celui-ci se savait condamné à mort prochaine. Méta-
physiquement, l'idée est plus profonde, bien entendu, il
y a des gestes de connaissance absolue qui sont, en soi,
meurtriers.

Ibsen le Norvégien avait bien vu cela aussi, mais il
prenait le même thème dans l'autre sens. Il appelait
livsløgn, mensonge vital, cette étrange nécessité dans
laquelle nous sommes de nous mentir à nous-mêmes
afin de parvenir à nous accepter. Peer Gynt, héros de
la pièce du même nom, a refusé de se regarder en

face, il « fait le tour », il louvoie, il triche. Et donc, il
sera condamné à être remis au moule, refondu. Mais
— et la différence est capitale — alors que, pour le
Norvégien, la reconnaissance de ce mensonge vital est
une condition *sine qua non* pour retrouver le chemin
d'une vie meilleure, pour Strindberg, c'est une
condamnation à mort sans merci. On voit bien de
quel côté il faut situer le pessimisme ! Faut-il accuser
la conscience, croissante chez le grand Suédois, de
l'âge qui vient et ne comble rien, lucidité qui le pousse
à voir son enfance sous un jour de plus en plus
sombre ? Il est étrange que, dans *Mademoiselle Julie*
notamment, il ait pris soin d'indiquer très précisément
l'âge des trois personnages (soit vingt-cinq ans, Julie,
trente, Jean et trente-cinq, Kristin). Et nous possé-
dons un brouillon du *Pélican* où l'auteur a pareillement noté que la Mère a quarante-cinq ans, Gerda,
vingt, le Fils, vingt et un et le gendre, vingt-trois.
Poser de pareils repères, en soi, ne rime à rien, surtout
au théâtre ! Force est donc de lire là une obsession
croissante de la mort.

Il reste un thème qui appelle un instant de réflexion,
c'est celui du feu, celui qui devrait brûler dans le
poêle, celui qui ravage l'appartement *in fine* et
emporte les deux jeunes gens. Feu vengeur ? feu puri-
ficateur ? instrument d'une indispensable catharsis ?
Ce motif aura hanté Strindberg d'un bout à l'autre de
son œuvre, nous le trouvons exploité, en majeur, dans
Le Fils de la servante, par exemple. Il n'est pas utile
d'insister sur la valeur érotique de cette image. Sa
puissance symbolique est extrême et se passe, elle
aussi, de développements. Il y avait également, dans
Devant la mort (1892), un incendie final mais la différence venait de ce que là, c'était le père exploité par
ses filles qui mettait le feu à la maison, se sacrifiant de
la sorte.

En somme, une fois refermé le présent volume, que
nous reste-t-il ? Je l'ai dit plus haut : de grandes
images, de somptueuses images infiniment riches
d'irradiations. J'ai parlé d'activité icono-motrice, je

suis allé jusqu'à récuser plus ou moins les possibles registres mental et sensible selon lesquels pourraient évoluer ces deux pièces, pour préférer celui des signes et des symboles exprimés à travers des images. Le titre *Mademoiselle Julie* développait des connotations d'ordre sexuel, social. *Le Pélican*, au-delà de la possible symbolique, d'ailleurs récusée de bout en bout, *est* une image, en soi. Il ne faut jamais oublier que Strindberg fut aussi un peintre de premier ordre, cette partie de son œuvre tend à être offusquée par sa production littéraire et c'est dommage! Cette peinture, elle aussi, est de type expressionniste. Elle donne à voir bien plus que ce qu'elle exprime et, littérature ou art, tout le génie d'August Strindberg est là : évocation a été faite, précisément à propos du pélican, en tant qu'image, du procédé cinématographique dit fondu enchaîné, qui nous fait passer insensiblement, par une sorte de superposition, d'un motif que dissout en quelque sorte et recouvre complètement, pour finir par l'annihiler, une image. De même de Strindberg : on n'en a jamais terminé avec les images qu'il nous donne, un instant, à voir? Elles valent par leur attente.

Régis BOYER.

MADEMOISELLE JULIE

Une tragédie naturaliste

PRÉFACE

Longtemps, le théâtre m'a paru être, tout comme l'art en général, une *Biblia Pauperum* (Bible des pauvres), une bible en images pour ceux qui ne savent lire ni l'écrit ni l'imprimé, et l'auteur dramatique, un prédicateur laïque qui colporte les pensées de son époque sous forme populaire, si populaire que la classse moyenne, qui peuple en majeure partie le théâtre, puisse saisir de quoi il est question sans se torturer les méninges. C'est pourquoi le théâtre a toujours été une école populaire pour la jeunesse, les gens semi-cultivés et les femmes qui conservent encore la faculté médiocre de se leurrer eux-mêmes et de se laisser leurrer, c'est-à-dire de se faire illusionner, suggestionner par l'auteur. Voilà pourquoi, en notre temps où la pensée rudimentaire, imparfaite qu'engendre l'imagination semble vouloir devenir réflexion, recherche, expérience, il m'a paru que le théâtre, de même que la religion, était en voie d'extinction comme forme d'art mourante pour la jouissance de laquelle nous n'avons pas les conditions requises; va dans le sens de cette hypothèse la crise généralisée du théâtre qui sévit à présent dans toute l'Europe, et encore plus le fait que, dans les pays culturels où les plus grands penseurs du siècle ont vu le jour, soit l'Angleterre et l'Allemagne, l'art dramatique est mort tout comme la plus grande partie des autres beaux-arts.

Dans d'autres pays encore, on a cru pouvoir créer un drame nouveau en dotant les anciennes formes du contenu d'une époque plus récente; mais, d'une part, les nouveaux penseurs n'ont pas encore eu le temps de se rendre assez populaires afin que le public ait l'entendement requis pour comprendre de quoi il était question ; d'autre part, des querelles partisanes ont échauffé les esprits si bien qu'une appréciation pure et désintéressée n'a pas pu prendre place en cas de contestation des convictions les plus intimes du spectateur, et là où une majorité, applaudissant ou sifflant, a exercé sa dictature aussi officiellement qu'il se peut — dans une salle de théâtre ; en troisième lieu on n'a pas trouvé la forme nouvelle adaptée à ce nouveau contenu si bien que le vin nouveau a fait éclater les vieilles outres.

Dans le drame que voici, je n'ai pas cherché à faire chose nouvelle car cela est impossible, mais uniquement à moderniser la forme selon les exigences que, je l'imagine, les hommes nouveaux de notre époque seraient censés assigner à cet art. Et à cette fin, j'ai choisi, ou je me suis laisser prendre par un motif dont on peut dire qu'il est en dehors des querelles partisanes du moment, puisque le problème de l'ascension ou de la chute sociale, du plus haut ou du plus bas, du meilleur ou du pire, de l'homme ou de la femme est, a été et restera d'un intérêt permanent. J'ai tiré ce motif de la vie, tel que je l'ai entendu rapporter il y a bien des années : cet événement avait fait sur moi une forte impression, je l'ai trouvé approprié à une tragédie ; car cela fait encore une affligeante impression de voir sombrer un individu heureusement doté par le sort, et bien plus encore, une famille s'éteindre, mais il viendra peut-être un temps où nous serons devenus tellement évolués, tellement éclairés que nous regarderons avec indifférence le spectacle brutal, cynique, sans cœur qu'offre la vie, un temps où nous laisserons en friche ces machines à penser inférieures, sujettes à caution que l'on appelle sentiments, lesquels deviendront superflus et nuisibles lorsque notre organe d'appréciation aura pris toute sa taille. Le fait que l'héroïne suscite la compassion ne dépend que de notre faiblessse de ne pouvoir résister au sentiment de crainte que le même destin puisse nous accabler. Le spectateur très sensible ne sera peut-être pas satisfait de cette compassion, et l'homme de l'avenir qui aura la foi exigera peut-être qu'on lui fasse des propositions positives pour remédier au mal, en d'autres termes, un programme. Mais d'abord, il n'y a pas de mal absolu, car le fait qu'une famille s'éteigne constitue une chance pour une autre famille, n'est-ce pas, qui peut faire son ascension, et l'alternance entre ascendant et descendant constitue un des plus grands agréments de la vie puisque le bonheur ne réside que dans la comparaison. Quant à l'homme de programme qui veut remédier à l'ennui que l'oiseau de proie mange la colombe et que le pou mange l'oiseau de proie, je demanderai : à quoi bon? La vie n'est pas idiotement mathématique au point que seuls les grands mangent les petits, il arrive aussi souvent que l'abeille tue le lion ou, au moins, le rende fou.

Si ma tragédie fait une impression affligeante à beaucoup de gens, c'est de leur faute, et lorsque nous serons forts comme les premiers révolutionnaires français, cela nous fera une impression bonne et joyeuse, et sans réserve, de contempler l'élimination, dans les forêts de la Couronne, d'arbres pourris et hors d'âge qui en ont trop longtemps étouffé d'autres ayant tout autant le droit de vivre leur temps, cela nous fera une bonne impression comme lorsque l'on voit un malade incurable mourir! On a récemment reproché à ma tragédie *Le Père*[1] d'être tellement affligeante, comme si on exigeait d'une tragédie qu'elle soit joyeuse; et l'on réclame de la joie de vivre, et les directeurs de théâtres commandent des farces comme si la joie de vivre consistait à être imbécile et à faire le portrait d'humains qui seraient tous atteints de la danse de Saint-Guy ou de crétinisme! Je trouve la joie de vivre dans les fortes et cruelles luttes de la vie, et

1. Allusion à la réaction d'un certain Ernst Lundqvist, homme de lettres attaché au Théâtre royal de Stockholm, qui aurait trouvé la pièce *Le Père* « trop sinistre et pénible » (en 1887).

ma jouissance est de savoir quelque chose, d'enseigner quelque chose. Et c'est pourquoi j'ai choisi un cas inhabituel, mais instructif, une exception en un mot, mais une grande exception qui confirme la règle, chose qui, certes, blessera ceux qui aiment la banalité. Ce qui, ensuite, choquera les cerveaux faibles, c'est que mon exposé des motifs de l'action n'est pas simple et que le point de vue n'est pas unique. Chaque événement de la vie — et c'est une découverte passablement nouvelle! — est suscité habituellement par toute une série de motifs plus ou moins profonds mais le spectateur choisit d'habitude ce qui, selon son opinion, est le plus facile à comprendre ou, pour l'honneur de sa faculté de jugement, le plus avantageux. Voici que l'on commet un suicide! Mauvaises affaires! dira le bourgeois! — Amour malheureux! diront les femmes. — Maladie physique! dira le malade. — Espoirs brisés! dira le naufragé. Or il peut se faire que la cause se trouve partout, ou nulle part, et que le défunt ait caché le motif fondamental en en avançant un tout autre susceptible de jeter une meilleure lumière sur sa mémoire!

Le destin affligeant de Mademoiselle Julie, je lui ai donné pour motifs une quantité de circonstances : les « mauvais » instincts de base de sa mère; l'éducation fautive que lui a inculquée son père; les suggestions de sa propre nature et celles que son fiancé exerce sur un cerveau faible, dégénéré; en outre et plus précisément : l'ambiance de fête de la nuit de la Saint-Jean; l'absence du père; le fait qu'elle-même ait ses règles; le fait de s'occuper d'animaux; l'influence excitante de la danse; la pénombre de la nuit; l'influence fortement aphrodisiaque des fleurs; et enfin le hasard qui pousse les deux personnages à se trouver ensemble dans une pièce secrète, plus l'audace de l'homme excité.

Ainsi, je n'ai pas procédé exclusivement d'un point de vue physiologique, non plus qu'à partir d'une monomanie psychologique; je n'ai pas accusé seulement l'hérédité maternelle, pas jeté la faute seulement sur les règles, pas exclusivement accusé « la déprava-

tion », pas seulement prêché la morale — cette dernière, je l'ai laissée à la cuisinière — par manque de
pasteur !

De cette multiplicité de motifs, je me vante comme
étant moderne ! Et si d'autres l'ont fait avant moi, je
me vante de ne pas avoir été seul à avancer mes para-
doxes comme on appelle toutes les découvertes.

En ce qui concerne le dessin des personnages, j'ai
rendu les figures assez dépourvues de caractère pour
les raisons suivantes :

Au cours du temps, le mot caractère a pris une
signification multiple. Initialement, il doit avoir signi-
fié le trait dominant dans le complexe mental ; et être
confondu avec le tempérament. Ensuite, ce fut
l'expression que la classe moyenne employait pour
automate : en sorte qu'un individu qui, une fois pour
toutes, s'en était tenu à son naturel ou s'était adapté à
un certain rôle dans la vie et donc, en un mot, avait
cessé de croître, était devenu un caractère alors que
celui qui était en voie de développement, le navigateur
habile sur le fleuve de la vie qui ne navigue pas les
écoutes fermes mais prend garde aux sautes de vent
était réputé sans caractère. En un sens péjoratif, bien
entendu, étant donné que l'idée était trop difficile à
capter, enregistrer et entretenir. Cette notion bour-
geoise d'immuabilité de l'âme fut transférée sur la
scène où ce qui est bourgeois a toujours régné. Là, un
caractère était un monsieur fixe et achevé, immuable-
ment ivrogne, bouffon ou affligeant ; et pour le carac-
tériser, il n'était besoin que d'affliger son corps d'une
tare, un pied bot, une jambe de bois, un nez rouge, ou
que l'intéressé répète sans cesse une expression
comme « c'est épatant [1] », « Barkis veut bien [2] », etc.

---

1. Sort d'une comédie, *Cela ne fait pas de mal* (1870) de l'auteur,
aujourd'hui parfaitement oublié, Frans Hedberg : c'est ce que ne
cesse de dire le personnage du bureaucrate Grot.
2. Mr. Barkis est un personnage de *David Copperfield* de Dic-
kens (1849). Le roman a été adapté pour le théâtre par John Brough-
ham. C'est par cette formule que Barkis, qui est cocher, fait sa
demande en mariage.

Cette façon de voir les hommes uniment subsiste encore chez le grand Molière. Harpagon n'est qu'avare, bien qu'il eût pu être à la fois avare, financier remarquable, père magnifique, bon participant à la vie communale, et que, chose pire, sa « tare » soit précisément avantageuse pour son gendre et sa fille qui hériteront de lui, et qui, en conséquence, ne devraient pas le blâmer quand bien même ils devraient attendre un peu pour entrer dans le même lit. Donc, je ne crois pas aux caractères de théâtre simples et aux jugements sommaires des auteurs sur les humains : celui-ci est bête, celui-là, brutal, celui-ci est jaloux, celui-là est pingre, cela devrait être récusé par les naturalistes qui savent combien le complexe mental est riche et que « le vice » a un revers qui ressemble assez à la vertu.

Comme caractères modernes, vivant, pour le moins, dans une période de transition plus pressée, plus hystérique que la précédente, j'ai dépeint mes figures plus oscillantes, divisées, mêlées d'ancien et de nouveau et il ne me semble pas invraisemblable que des idées modernes se soient infiltrées, par les journaux et les conversations, également dans les couches sociales où un domestique peut vivre. Voilà pourquoi le valet a certaines éructations modernes au milieu de son âme d'esclave héréditaire. Et à ceux qui trouvent impropre que, dans des drames modernes, nous fassions parler les humains de darwinisme tout en recommandant Shakespeare, je rappellerai que le fossoyeur dans *Hamlet* parle la philosophie, à la mode en ce temps-là, de Giordano Bruno[1], de Bacon[2], ce qui est encore plus invraisemblable car les moyens de diffuser les idées étaient alors encore plus rares que maintenant. Et d'ailleurs, il se fait que « le darwinisme » a existé en toutes époques, y compris depuis l'histoire progressive de la création selon Moïse depuis

1. Philosophe italien (1548-1600).
2. Il s'agit de Francis Bacon, philosophe et homme d'État (1561-1626).

les animaux inférieurs jusqu'à l'être humain, mais que ce n'est que maintenant que nous l'avons découvert et formulé !

Mes âmes (caractères) sont des conglomérats de degrés de cultures passées, et de la culture en cours, des bouts de livres et de journaux, des fragments d'êtres humains, des loques de vêtements de jours de fête devenus des chiffons, tout à fait comme l'âme est faite de pièces, et j'ai en outre donné un peu d'histoire des origines lorsque je fais voler et répéter par le plus faible des mots qui proviennent du plus fort, que je fais aller chercher par les âmes des « idées », des suggestions, comme cela s'appelle, de l'un à l'autre, du milieu (sang du tarin[1]), de l'attribut (le rasoir). J'ai fait s'accomplir une « Gedankenübertragung[2] » par l'intermédiaire d'un médium mort (les bottes de cheval du comte, la sonnette) ; en fin de compte, je me suis aidé de « la suggestion éveillée[3] », variation de la suggestion endormie, laquelle est à présent si bien vulgarisée et reconnue qu'elle ne peut susciter ni rire ni méfiance comme elle l'aurait fait du temps de Mesmer[4].

Mademoiselle Julie est un caractère moderne, non pas en tant que demi-femme ou exécratrice d'hommes qui existe de tout temps, mais parce qu'elle est découverte, qu'elle a surgi et fait du bruit. Victime d'une croyance erronée (qui a saisi même des cerveaux plus forts) selon laquelle la femme, cette forme rabougrie de l'être humain, stade intermédiaire vers l'homme, le maître de la création, le créateur de la culture, serait égale à l'homme ou pourrait l'être, et se développerait en un effort déraisonnable qui la fait tomber. Déraisonnable parce qu'une forme rabougrie,

1. Rappelons que c'est ainsi que s'appelle le passereau qui joue un rôle capital vers la fin de la pièce.
2. Allemand : une transmission de pensée, une suggestion.
3. C'était l'une des techniques de l'École de Nancy, dont les méthodes étaient familières à Strindberg.
4. Le fameux magnétiseur autrichien Frans Anton Mesmer (1734-1815) qui s'intéressa au « magnétisme animal », forme de la suggestion.

régie par les lois de la reproduction, finit toujours par naître rabougrie et ne peut jamais atteindre celui qui a de l'avance, selon la formule : A (l'homme) et B (la femme) émanent du même point C; A (l'homme) avec une vitesse de disons 100 et B (la femme) avec une vitesse de 60. Quand, demandera-t-on, B rattrapera-t-il A? — Réponse : *Jamais!* ni à l'aide d'un enseignement égal, d'un droit de vote égal, de désarmement ou de tempérance, aussi peu que deux lignes parallèles peuvent jamais se recouper l'une l'autre.

La demi-femme est un type qui se met en évidence, qui se vend de nos jours contre du pouvoir, des décorations, des distinctions, des diplômes, tout comme précédemment contre de l'argent, ce qui dénote une dégénérescence. Ce n'est pas une bonne espèce, car elle ne résiste pas, mais elle se propage malheureusement sur une génération avec ses misères; et des hommes dégénérés semblent faire inconsciemment un choix parmi elles en sorte qu'elle se multiplient, engendrent un sexe indécis qui est torturé de la vie, mais heureusement périt, soit par dysharmonie avec la réalité ou bien par un jaillissement effréné de l'instinct refoulé, ou bien encore par des espérances brisées de pouvoir égaler l'homme. Ce type est tragique, offrant le spectacle d'un combat désespéré contre la nature, tragique comme un héritage romantique qui est maintenant dilapidé par le naturalisme, lequel ne veut que le bonheur; et le bonheur appartient aux espèces fortes et bonnes. Mais Mademoiselle Julie est également un reste de l'ancienne noblesse guerrière qui fait place à présent à la nouvelle noblesse des nerfs ou du grand cerveau; une victime de la dysharmonie que le « crime » d'une mère suscite dans une famille; une victime des égarements d'une époque, des circonstances, de sa propre constitution défectueuse, ce qui tout ensemble équivaut au Destin ancien ou à la loi de l'Univers. De la faute, le naturaliste a chargé Dieu, mais les conséquences de l'acte, la punition, la prison ou la crainte conséquente, il ne peut l'effacer par la simple raison qu'elles demeurent, qu'il en donne décharge ou non, car les contemporains qui souffrent préjudice ne sont pas aussi raisonnables que ceux qui n'en souffrent pas, qui se tiennent en dehors. Même si le père, pour des raisons pressantes, renonçait à sa revanche, sa fille se vengerait sur elle-même comme elle le fait ici, par ce sentiment de l'honneur inné ou hérité que les classes supérieures reçoivent en héritage — d'où ? De la barbarie, du foyer primitif arien, de la chevalerie du Moyen Âge. C'est très beau, mais, de nos jours, désavantageux pour le maintien de l'espèce. C'est le *hara-kiri* de la noblesse, la loi intérieure du Japonais qui l'invite à s'ouvrir le ventre, à *lui*, quand un autre lui fait affront, ce qui survit, modifié, dans le duel, privilège de la noblesse. C'est pourquoi le laquais Jean vivra, mais Mademoiselle Julie ne peut vivre sans honneur. L'esclave a, sur le jarl[1], l'avantage de ne pas posséder ce préjugé mortel sur l'honneur et il y a chez nous autres Ariens un peu du noble ou du Don Quichotte qui fait que nous sympathisons avec le suicidaire qui a commis un acte contraire à l'honneur qu'il a, de la sorte, perdu, et que nous sommes assez nobles pour nous torturer de voir une grandeur déchue traînée dans la boue comme cadavre, même si le déchu aurait pu se redresser en posant des actes compensatoires. Le valet Jean est un constructeur d'espèce, un homme chez qui la différenciation se remarque. C'était un enfant de journalier[2] et il s'est instruit pour devenir un futur seigneur. Il lui a été facile d'apprendre, il a des sens délicatement développés (odorat, goût, vue) et le sentiment de la beauté. Il s'est déjà promu et il est suffisamment fort pour ne pas être blessé par l'utilisation des services d'autrui. Il est déjà étranger à son entourage qu'il méprise comme relevant de stades révolus, et qu'il craint et fuit, étant

---

1. Rappelons que ce mot s'applique à une sorte de noblesse, d'origine inconnue, qui régna dans le Nord ancien.
2. Le texte a ici *statbarn*, enfant de *statare*, ce type de journalier taillable et corvéable à merci qui subsistera jusqu'aux années quarante de notre siècle et que fustigera, par excellence, Ivar Lo-Johansson, l'un des principaux écrivains « prolétaires » suédois.

donné que cet entourage connaît ses secrets, dépiste
ses intentions, voit avec envie son ascension et attend
avec plaisir sa déchéance. De là son caractère double,
indécis, hésitant entre la sympathie pour les haut pla-
cés et la haine envers ceux qui siègent en haut. Il est
aristocrate, dit-il lui-même, il a appris les secrets de la
bonne société, il est poli, mais grossier en dessous, il
porte déjà la redingote avec goût sans offrir quelques
garanties qu'il soit propre de corps.

Il a du respect pour Mademoiselle, mais il a peur de
Kristin, car elle dispose de ses dangereux secrets ; il est
suffisamment insensible pour ne pas laisser les événements de la nuit troubler ses plans d'avenir. Avec la
grossièreté de l'esclave et l'insensibilité du maître, il
peut voir couler le sang sans s'évanouir, prendre une
déconvenue par la nuque et la rejeter ; aussi sort-il
intact de la lutte et terminera-t-il vraisemblablement
hôtelier, et s'il ne devient pas, *lui*, un comte roumain [1],
son fils sera probablement étudiant et possiblement
bailli.

Ce sont d'ailleurs des renseignements très impor-
tants qu'il donne sur la conception que se font les
classes inférieures de la vie vue d'en bas, notamment
lorsqu'il dit la vérité, ce qu'il ne fait pas souvent car il
parle plus de ce qui est avantageux pour lui que de ce
qui est vrai. Quand Mademoiselle Julie suppose que
tous ceux des classes inférieures ressentent si lourde-
ment la pression venue d'en haut, Jean abonde dans
ce sens, naturellement, étant donné que son intention
est de gagner la sympathie, mais il corrige immédiatement sa déclaration lorsqu'il voit l'avantage qu'il y a à
se distinguer de la masse.

Outre le fait que Jean soit en cours d'ascension, il
est au-dessus de Mademoiselle Julie par le fait que
c'est un homme. Sexuellement, c'est lui l'aristocrate
par sa force virile, ses sens plus finement développés
et sa capacité d'initiative. Son infériorité tient surtout

1. On se rappelle la réplique de Jean disant en substance qu'en
Roumanie on peut acheter un titre de comte.

au milieu social dans lequel il vit pour le moment et dont vraisemblablement il pourra se débarrasser avec sa livrée.

Son esprit d'esclave s'exprime dans son respect pour le comte (les bottes) et dans sa superstition religieuse. Mais il révère le comte plutôt comme détenteur de la place élevée à laquelle il aspire ; et ce respect demeure quand il a conquis la fille de la maison et qu'il a vu comme est vaine la belle écorce.

Un rapport amoureux au sens « plus élevé », je ne crois pas que cela puisse surgir entre deux âmes de valeur aussi différente et c'est pourquoi je laissse Mademoiselle Julie muer son amour en protection ou en excuse ; et à Jean, je laisse supposer que son amour pourrait surgir dans d'autres conditions sociales. Je pense qu'il en va sans doute de l'amour comme de la jacinthe qui doit pousser des racines dans l'obscurité *avant* qu'elle puisse sortir une forte fleur. Ici, elle monte et fleurit et porte son fruit tout de suite, et c'est pourquoi la plante meurt si vite.

Kristin en fin de compte est une esclave féminine, pleine de dépendance d'autrui, de veulerie, abîmée devant son fourneau, animalement inconsciente dans son hypocrisie, gorgée de morale et de religion en tant que prétextes et boucs émissaires, ce dont le fort n'a pas besoin étant donné qu'il est capable de porter sa faute lui-même ou de l'éloigner par le raisonnement ! Elle va à l'église pour se décharger facilement et lestement sur Jésus de ses larcins domestiques et faire une nouvelle provision d'innocence.

D'ailleurs, c'est un personnage secondaire et, en conséquence, seulement esquissé, ainsi que je l'ai fait pour le Pasteur et le Médecin dans *Le Père*, dont je voulais précisément faire des êtres humains de tous les jours comme le sont en général les pasteurs de campagne et les médecins de province. Et que ces personnages secondaires que je crée aient paru abstraits à certains, cela dépend du fait que les gens de tous les jours sont dans une certaine mesure abstraits lorsqu'ils sont dans l'exercice de leur profession, c'est-à-dire non indépendants, ne montrant qu'un seul aspect d'eux-mêmes, et tant que le spectateur n'éprouve pas le besoin de les voir sous plusieurs aspects, mon portrait abstrait est passablement correct.

Pour ce qui est du dialogue, j'ai quelque peu rompu avec la tradition en ce que je n'ai pas fait de mes personnages des catéchistes qui questionnent bêtement pour susciter une réplique spirituelle. J'ai évité ce qu'il y a de symétrique, de mathématique dans le dialogue construit à la française, j'ai laissé les cerveaux travailler irrégulièrement comme ils le font dans la réalité, où l'on sait que dans une conversation aucun sujet n'est épuisé, mais où l'un des cerveaux reçoit de l'autre un rouage pour intervenir. Et c'est pourquoi le dialogue est errant, se pourvoit dans les premières scènes d'un matériau qui ensuite est travaillé, repris, répété, déployé, étendu comme le thème d'une composition musicale.

L'action est suffisamment riche et comme, en fait, elle ne concerne que deux personnages, je me suis tenu à ceux-ci, n'introduisant qu'un seul personnage secondaire, la cuisinière, et faisant planer sur le tout, par-derrière, l'esprit malheureux du père. Cela, étant donné que j'ai cru remarquer que pour les humains de ces derniers temps, le processus psychologique est ce qui intéresse le plus, et nos âmes avides de savoir ne se satisfont plus de voir quelque chose se passer, elles veulent aussi savoir comment! Nous voulons précisément voir les fils, la machinerie, examiner la boîte à double fond, toucher l'anneau magique pour trouver le point de soudure, regarder dans les cartes pour découvrir comment elles sont marquées.

J'ai eu, pour cela, devant les yeux les romans monographiques [1] des frères Goncourt qui sont ce qui me plaît le plus dans toute la littérature actuelle.

En ce qui concerne la technique de la composition, j'ai, à titre d'essai, supprimé la division en actes. Ce,

---

1. Vise probablement *Germinie Lacerteux* (1864) ou *La Fille Élisa* (1877, d'Edmond seul) voire *Chérie* (1884, du même).

parce que je crois découvrir que notre capacité décroissante d'illusion peut éventuellement être dérangée par des entractes pendant lesquels le spectateur a le temps de réfléchir et, par là, se dérobe à l'influence suggestive de l'auteur-magnétiseur. Ma pièce dure probablement une heure et demie et puisque l'on peut entendre une conférence, un sermon ou une communication à un congrès pendant aussi longtemps ou davantage, je me suis imaginé qu'une pièce de théâtre d'une durée d'une heure et demie ne fatiguerait pas. En 1872 déjà, dans un de mes premiers essais au théâtre, *Le Hors-la-loi*[1], j'ai essayé cette forme concentrée bien qu'avec un médiocre succès. La pièce était écrite en cinq actes et était terminée lorsque je remarquai son effet inquiétant parce que morcelé. Je la brûlai et des cendres est né un unique grand acte de cinquante pages imprimées dont le jeu prenait une heure entière. La forme n'est donc pas nouvelle mais semble être ma propriété et elle a possiblement, en vertu des changements du goût, quelque chance de plaire à notre temps. Mon intention serait d'avoir un public si éduqué qu'il puisse supporter un spectacle de toute la soirée en un seul acte, mais cela exige d'abord des recherches. Toutefois, pour ménager des moments de repos au public et aux acteurs, sans faire perdre à l'assistance son illusion, j'ai eu recours à trois formes d'art relevant toutes les trois de l'art dramatique; à savoir : le monologue, la pantomime et le ballet, originellement incorporées dans la tragédie antique : la monodie[2] est maintenant devenue monologue et le chœur, ballet.

Le fait est que le monologue est proscrit par nos réalistes comme invraisemblable. Mais si je le motive, je le rends vraisemblable et peux de la sorte m'en servir avec avantage. Car il est vraisemblable qu'un orateur marche seul dans sa pièce en lisant à haute voix

1. *Den Fredlöse*, première au Dramaten de Stockholm le 16 octobre 1871.
2. Récitation à une seule voix.

son discours, vraisemblable qu'un acteur débite à haute voix son rôle, qu'une bonne bavarde avec son chat, une mère babille avec son enfant, une vieille demoiselle caquète avec son perroquet, une personne endormie parle dans son sommeil. Et pour donner une fois à l'acteur l'occasion d'un travail personnel et la liberté d'être un instant délivré de la férule de l'auteur, je n'ai pas élaboré complètement les monologues, je n'ai fait que les suggérer. Car, alors que ce qui est dit dans le sommeil ou au chat est passablement indifférent, attendu que cela n'a pas d'influence sur l'action, un acteur doué qui se trouve dans l'ambiance et en pleine situation peut, d'aventure, improviser cela mieux que l'auteur, lequel ne peut supputer combien de choses on peut dire et pendant combien de temps avant que le public ne soit réveillé de son illusion.

Comme on le sait, le théâtre italien est, sur certaines scènes, revenu à l'improvisation[1], et par là, il a formé des acteurs qui créent, selon les plans de l'auteur toutefois, ce qui, bien sûr, peut être un progrès ou une nouvelle forme d'art où il pourrait être question d'art *générateur*.

Là où le monologue serait invraisemblable, j'ai eu recours à la pantomime et là, je laisse à l'acteur encore plus de liberté de composer — et d'acquérir un renom personnel. Tout de même, pour ne pas éprouver le public au-delà de ses forces, j'ai laissé la musique, du reste justifiée, par la danse de la Saint-Jean, exercer son pouvoir d'illusion pendant le jeu muet, et je prie le chef d'orchestre de prendre à cœur le choix des morceaux de musique pour ne pas susciter des sentiments étrangers à la pièce, que ce soit par des airs d'opérettes ou de répertoire de danse à la mode du jour, ou par des extraits populaires de type folklorique.

Le ballet que j'ai introduit ne pourrait pas être remplacé par une prétendue scène populaire étant donné

---

1. Fidèle, donc, à la commedia dell'arte qui fit florès au XVIᵉ siècle en Italie.

que les scènes populaires sont mal jouées et qu'une quantité de clowns voudront exploiter l'occasion de faire rire et, par là, de détruire l'illusion. Comme le peuple n'improvise pas ses méchancetés mais utilise un matériau déjà prêt qui peut prendre un double sens, je n'ai pas composé la chanson diffamatoire, j'ai pris une ronde dansée moins connue que j'ai moi-même notée dans le district de Stockholm[1]. Les paroles touchent approximativement leur but mais pas tout à fait et c'est à dessein car ce qu'il y a de fourbe (de faible) chez l'esclave[2] ne permet pas d'attaques directes. Donc pas de farceurs dans une action sérieuse, pas de ricanement grossier sur une situation qui pose le couvercle sur le cercueil d'une génération.

En ce qui concerne les décors, j'ai emprunté à la peinture impressionniste le dissymétrique, le découpé, et je crois par là avoir contribué à créer de l'illusion; car par le fait que l'on ne voit pas en entier la pièce et le mobilier, on laisse l'occasion de pressentir, c'est-à-dire que l'imagination est mise en mouvement et complète. J'y ai même gagné d'échapper aux sorties fatigantes par des portes, d'autant que les portes, au théâtre, sont de toile et tremblent au moindre mouvement, elles n'ont même pas la faculté d'exprimer la colère d'un père de famille, quand après un mauvais dîner il sort en claquant la porte « de sorte que la maison tout entière est secouée » (au théâtre elle oscille!). De même, je m'en suis tenu à un décor unique à la fois pour permettre aux personnages de grandir avec le milieu et pour rompre avec le luxe des décors. Mais

1. Elle est en fait très connue puisque, selon l'éditeur de *Mademoiselle Julie* en suédois, il en existerait près de deux cents variantes connues de la Laponie à la Scanie. Voici l'une de ces variantes, relevée en 1873 : « S'en allaient deux bonshommes dans la neige / tralla la la la la la / Avaient tant peur de la mort / tralla, etc. / Firent la cour pour mille rixdales / tralla, etc. / N'en avaient guère une seule / tralla, etc. / Cette rixdale je te l'offre (tralla, etc. / À une autre je pense / Tralla, etc. »
2. Strindberg veut dire Jean, bien entendu!

lorsque l'on n'a qu'un seul décor, on peut exiger qu'il soit vraisemblable. Pourtant, rien n'est plus difficile que d'obtenir une chambre qui ait à peu près l'air d'une chambre, compte non tenu du fait que le peintre est libre de faire des montagnes qui crachent du feu et des chutes d'eau. Va pour les murs de toile, mais on pourrait cesser de peindre des étagères et des ustensiles de cuisine sur la toile. Nous avons tant d'autres choses conventionnelles sur la scène que nous pourrions, semble-t-il, éviter de croire à des casseroles peintes.

J'ai planté le fond et la table de biais pour que les acteurs jouent de face et de trois quarts quand ils sont assis à table en face l'un de l'autre — j'ai vu dans l'opéra *Aïda*[1] un fond de biais qui menait l'œil vers une perspective inconnue, et il n'avait pas l'air d'être né de la volonté de contredire la fatigante ligne droite.

Une autre nouveauté, peut-être non inutile serait l'élimination de la rampe. Cet éclairage par en dessous est censé avoir pour mission de rendre les acteurs plus gras de visage; mais je demande : pourquoi tous les acteurs devraient-il être gras de visage? Est-ce que cette lumière de par en dessous n'élimine pas toute une série de traits délicats dans la partie inférieure du visage, en particulier les mâchoires, ne falsifie-t-elle pas la forme du nez, ne jette-t-elle pas des ombres sur l'œil? Si tel n'est pas le cas, une autre chose est sûre : les yeux des acteurs souffrent, en sorte que le jeu expressif des regards est perdu, car la lumière de la rampe touche la rétine en des endroits qui, autrement, sont protégés (sauf chez les gens de mer qui peuvent voir le soleil dans l'eau), et voilà pourquoi on voit rarement d'autres jeux des yeux que de grossiers regards de côté ou vers le haut où l'on ne voit que le blanc des yeux. Il est possible d'attribuer la même cause aux battements de paupières fatigués des actrices. Et quand quelqu'un sur scène veut parler

---

1. Il était au répertoire du Théâtre royal de Stockholm depuis le 16 février 1880.

avec les yeux, il n'a que la mauvaise issue de regarder tout droit le public avec lequel il ou elle entre alors en correspondance directe en dehors du cadre du rideau : mauvaise habitude qui, à bon ou mauvais droit, est appelée « saluer des connaissances » !

Une forte lumière latérale (avec des projecteurs paraboliques ou des choses de ce genre) ne suffirait-elle pas pour pouvoir fournir à l'acteur cette nouvelle ressource : renforcer la mimique par le moyen le plus efficace dont dispose un visage, le jeu des yeux ?

L'illusion d'amener l'acteur à jouer pour le public et non avec lui, je ne l'ai guère, bien que cela soit souhaitable. Je ne rêve pas de voir un acteur de dos d'un bout à l'autre d'une scène importante, mais je souhaite vivement que des scènes décisives ne soient pas données près du trou du souffleur comme des duos envisagés pour être applaudis. Je voudrais les voir exécutés en un lieu donné, en situation. Donc, pas de révolutions mais seulement de petites modifications, car faire de la scène une pièce dont le quatrième mur est enlevé, et donc toute une partie des meubles tourne le dos à la salle, c'est certainement, jusqu'à plus ample informé, dérangeant.

Quand ensuite je veux parler de maquillage, je n'ose pas espérer être entendu de ces dames qui préfèrent être belles à être vraisemblables. Mais l'acteur pourrait se demander s'il est avantageux pour lui de se mettre sur le visage, par le maquillage, un caractère abstrait qui y restera comme un masque. Imaginons-nous un monsieur qui fixe au fusain un trait violemment colérique entre ses yeux, et supposons que dans cette posture de courroux durable, il lui faille rire d'une réplique. Quelle épouvantable grimace cela donnera ! Et comment ce front, luisant comme une bille de billard, pourra-t-il se rider quand le vieux sera fâché ?

Dans un drame psychologique moderne où les plus délicats mouvements de l'âme doivent se refléter sur le visage plus que par des gestes et du vacarme, le mieux serait sans doute d'essayer d'une forte lumière latérale sur une petite scène, avec des acteurs sans fard, ou au moins avec un minimum de maquillage.

Et si nous échappions aussi à l'orchestre visible avec
l'éclat dérangeant de ses lampes et ses visages tournés
vers le public! Si nous exhaussions le parterre de sorte
que l'œil du spectateur atteigne plus haut que le pli du
genou de l'acteur! Si nous pouvions évacuer les
avant-scènes (les œils-de-bœuf) avec leurs dîneurs et
leurs ivrognes hilares, si, en outre, nous obtenions une
obscurité totale dans la salle pendant la représentation, de même que, avant tout, une *petite* scène et une
petite salle, peut-être un nouvel art dramatique surgi-
rait-il et le théâtre serait-il de nouveau une institution
pour le plaisir des gens cultivés. Dans l'attente de ce
théâtre, nous devons sans doute entasser les pièces
pour préparer le repertoire qui viendra.

Voici un essai! S'il a échoué, nous avons tout le
temps de le refaire!

PERSONNAGES

Mademoiselle Julie, vingt-cinq ans
Jean, valet, trente ans
Kristin, cuisinière, trente-cinq ans

L'action se passe dans la cuisine du Comte, la nuit de la Saint-Jean[1].

DÉCORS

Une grande cuisine, dont le plafond et les murs latéraux sont cachés par des draperies et des pendrillons[2]. Le mur du fond remonte en oblique, de la droite, vers l'avant et vers le haut de la scène; sur ce mur, à gauche, deux étagères portant des récipients de cuivre, de bronze, de fer et d'étain; ces étagères sont garnies de papier gaufré; un peu à droite, trois quarts de la grande sortie voûtée avec une porte de verre à deux battants à travers lesquels on aperçoit une fontaine avec un amour, des buissons de lilas en fleur et des peupliers d'Italie qui dépassent.

À gauche, sur la scène, le coin d'un grand fourneau de faïence avec une partie de la hotte.

À droite dépasse un bout de la table des domestiques, en pin blanc, avec quelques chaises.

Le fourneau est garni de branches de bouleau; plancher jonché de ramilles de genévrier.

Sur le bout de la table, un grand pot d'épices japonais plein de lilas en fleur.

Une glacière, un égouttoir à vaisselle, un évier.

Au-dessus de la porte, une grande sonnette vieillotte, et un tuyau acoustique débouchant du côté gauche de celle-ci.

Kristin est près du fourneau et fait frire à la poêle quelque chose; elle est en robe de cotonnade claire et en tablier de cuisine; Jean, en livrée, entre, portant une paire de bottes d'équitation à éperons qu'il pose par terre à un endroit bien visible.

JEAN

Ce soir, Mademoiselle Julie est folle, de nouveau, complètement folle!

KRISTIN

Tiens! Le[3] voilà maintenant?

JEAN

J'ai accompagné monsieur le Comte à la gare, et en revenant, quand je suis passé devant la grange, je suis entré et j'ai dansé. Et alors, j'aperçois Mademoiselle qui mène la danse avec le garde forestier. Mais quand elle m'a remarqué, elle s'est précipitée droit dans mes bras et m'a invité à la valse des dames. Et ensuite, elle a tellement valsé... que jamais je n'ai vu ça. Elle est folle!

KRISTIN

Elle l'a toujours été, mais jamais comme ces derniers quinze jours, depuis que ses fiançailles ont été rompues.

JEAN

C'est ça, qu'est-ce que c'est encore que cette histoire? C'était quand même un type chic, bien qu'il ne soit pas riche. Hélas! Ils ont de telles lubies! (*Il s'assoit au bout de la table*) C'est bizarre, en tout cas, pour une demoiselle, hum! de préférer rester à la maison avec les domestiques, hein? plutôt que d'accompagner son père voir des parents! à la Saint-Jean!

KRISTIN

Elle doit être comme gênée après cette échauffourée avec son fiancé.

JEAN

Probablement! Mais c'était un type à poigne en tout cas. Tu sais comment ça s'est passé, Kristin? J'ai vu ça, moi, bien que je n'aie pas voulu m'en donner l'air.

KRISTIN

Non, il a vu ça?

JEAN

Mais oui... Ils étaient dans la cour de l'écurie un soir et Mademoiselle le dressait, comme elle appelait ça... tu sais comment ça se passait? Eh bien! elle le faisait sauter par-dessus sa cravache! Comme un chien qu'on apprend à sauter. Il a sauté deux fois et il a été cravaché chaque fois; mais la troisième, il lui a arraché la cravache des mains, l'a mise en mille morceaux; et puis il est parti.

KRISTIN

C'est comme ça que ça s'est passé! Non! qu'est-ce qu'il raconte là?

JEAN

Mais si! Ç'a été comme ça... Bien! Qu'est-ce que tu as de bon à me donner, Kristin?

KRISTIN (*sert à Jean ce qu'elle tire de la poêle*)

Oh! C'est un peu de rognon que j'ai coupé dans le veau rôti.

JEAN (*hume le plat*)

Chouette! C'est mon grand *délice* [4]!... (*Il tâte l'assiette*) Mais tu aurais pu chauffer l'assiette!

KRISTIN

C'est qu'il est encore plus difficile que monsieur le Comte en personne quand il s'y met... (*Elle lui tire les cheveux d'un geste caressant*).

JEAN (*fâché*)

Tu n'as pas à me tirer les cheveux! Tu sais comme je suis délicat!

KRISTIN

Allons! allons! C'était uniquement par amour, il le sait bien!
(*Jean mange, Kristin sort une bouteille de bière*)

JEAN

De la bière, pour la Saint-Jean! Non, merci! Moi, j'ai mieux!
(*Il ouvre un tiroir et sort une bouteille de vin rouge à cachet jaune [5]*)
Le cachet jaune, tu vois!... Donne-moi donc un verre! Un verre à pied, bien entendu, quand on boit du *pur* [6]!

KRISTIN (*retourne au fourneau et y met une petite casserole*)

Dieu garde celle qui l'épousera! Un doudouille pareil!

JEAN

Allons donc! Tu serais bien contente si tu épousais
un type aussi chic que moi; et je ne crois pas que ça
t'ait fait tort que l'on m'appelle ton fiancé! (*Il goûte le
vin*) Bien! Très bien! Seulement un tout petit peu
trop frais! (*Il réchauffe le verre dans sa main*) Nous
avons acheté ça à Dijon! Il faisait quatre francs le litre,
verre non compris; et il faut ajouter la douane!
Qu'est-ce que tu es en train de faire cuire, c'est infer-
nal, l'odeur que ça a?

KRISTIN

Oh! c'est une cochonnerie du diable que Mademoiselle Julie demande pour Diana!

JEAN

Soigne donc tes expressions, Kristin! Et pourquoi
faut-il que tu sois là à faire la cuisine pour ce cabot un
soir de fête? Elle est malade, hein?

KRISTIN

C'est ça, malade! Elle est sortie en douce avec le
carlin du gardien... Et maintenant ça a mal tourné...
Et Mademoiselle ne veut pas en entendre parler!

JEAN

Mademoiselle est tellement vaniteuse dans certains
cas et trop peu fière dans d'autres, tout à fait comme
Madame la Comtesse de son vivant. C'est à la cuisine
et dans l'étable qu'elle se plaisait le mieux mais elle
n'aurait jamais voulu aller en voiture à un seul cheval.
Elle portait des manchettes sales, mais il lui fallait sa
couronne de comtesse sur ses boutons... Mademoiselle, s'il faut parler d'elle, ne prend pas soin d'elle et
de sa personne. J'irai jusqu'à dire qu'elle n'est pas dis-
tinguée! Tout à l'heure, quand elle dansait dans la
grange, elle a arraché le garde-forestier à Anna et elle

l'a invité elle-même à danser! Ça, nous ne le ferions pas; mais c'est comme ça quand les maîtres sont censés faire les gens du commun... C'est eux qui deviennent communs!

Mais pour être superbe, elle l'est! Magnifique! Ah! Quelles épaules! et... *et cætera!*

KRISTIN

Mais oui, c'est bien des vantardises! J'ai entendu ce que dit Klara, elle qui l'habille!

JEAN

Klara, pfff! Vous êtes tout le temps jalouses les unes des autres! Moi qui suis sorti faire du cheval avec elle... Et elle danse ensuite!

KRISTIN

Écoutez, Jean. Il ne veut pas danser avec moi quand je serai prête...?

JEAN

Mais si, bien entendu, je veux bien!

KRISTIN

Donc, il le promet?

JEAN

Promet? Si je dis que je le ferai, je le ferai! En attendant, merci de ce repas! C'était très bien. (*Il rebouche la bouteille*)

MADEMOISELLE (*à la porte, parlant à la cantonade*)

Je reviens tout de suite! Continuez en attendant!

(*Jean glisse la bouteille dans le tiroir, se lève respectueusement*)

MADEMOISELLE (*entre; s'avance vers Kristin, près du fourneau*)

Eh bien! ça y est?

(*Kristin fait signe que Jean est présent*)

JEAN (*galamment*)

Il y a des secrets entre ces dames?

MADEMOISELLE (*le frappe au visage avec son mouchoir*)

C'est de la curiosité!

JEAN

Ah! comme cela sentait bon la violette!

MADEMOISELLE (*coquette*)

Effronté! Il s'y entend en parfums aussi! Danser, il sait... On ne regarde pas! Allez!

JEAN (*impertinent, poli*)

C'est un philtre de la Saint-Jean que ces dames préparent? Quelque chose pour prophétiser! l'art de la prédiction où on peut voir son futur époux[7]!

MADEMOISELLE (*incisive*)

Pour qu'il le voie, il lui faudra de bons yeux... (*À Kristin*) Verse ça dans une demi-bouteille et bouche bien!... Venez donc danser une scottish avec moi, Jean...

JEAN (*hésitant*)

Je ne veux être malpoli envers personne, mais j'ai promis cette danse-là à Kristin...

MADEMOISELLE

Bon, elle peut en obtenir une autre, n'est-ce pas, Kristin? Tu ne veux pas me prêter Jean?

KRISTIN

Cela ne dépend pas de moi. Si Mademoiselle est tellement condescendante, il ne convient pas qu'il dise non! Qu'il y aille, lui! et qu'il remercie de cet honneur.

JEAN

Pour parler franc, mais sans vouloir blesser, je me demande quand même s'il est sage de la part de Mademoiselle Julie de danser deux fois de file avec le même cavalier, surtout que les gens d'ici ne sont pas lents à donner des interprétations...

MADEMOISELLE (*s'emportant*)

De quelle sorte? Quelle sorte d'interprétations? Que veut-il dire?

JEAN (*avec déférence*)

Puisque Mademoiselle ne veut pas comprendre, il faut que je parle plus clairement. Cela a mauvaise allure de préférer l'un de ses subordonnés à d'autres qui attendent le même honneur exceptionnel...

MADEMOISELLE

Préférer! Quelles pensées! Je suis étonnée! Moi, la maîtresse de cette maison, j'honore de ma présence le bal de mes gens, et quand je veux réellement danser, je veux danser avec quelqu'un qui sache conduire afin d'éviter d'être l'objet de rires.

JEAN

Comme Mademoiselle l'ordonne! Je suis à son service!

MADEMOISELLE (*gentiment*)

Ne prenez donc pas ça comme un ordre! Ce soir, nous sommes à la fête, nous sommes des gens joyeux et nous mettons tout rang de côté! Allons, offrez-moi

le bras maintenant!... Ne sois pas inquiète, Kristin! Je
ne vais pas te prendre ton fiancé!

(*Jean donne le bras et sort avec Mademoiselle*)

Pantomime

*Se joue comme si l'actrice était réellement seule dans la
pièce; au besoin, tourne le dos au public; ne regarde pas la
salle; ne se presse pas, comme si elle avait peur que le
public s'impatiente.*

Kristin, seule. Au loin, violon jouant une scottish.

*Kristin fredonne en accompagnant la musique; débar-
rasse la table de Jean, lave l'assiette, l'essuie et la range
dans un placard.*

*Puis elle enlève son tablier, sort un petit miroir d'un
tiroir, le pose contre le pot aux lilas sur la table; allume
une chandelle et chauffe une épingle à cheveux dont elle se
frise une mèche sur le front.*

*Ensuite, elle va à la porte et écoute. Revient à la table.
Trouve le mouchoir de Mademoiselle, que celle-ci a oublié,
elle le prend et le respire; puis elle le déploie, comme perdue dans ses pensées, l'étire, le lisse, le plie en quatre, etc.*

JEAN

Ma parole, elle *est* folle! Une façon de danser! Et les
gens qui sont là à ricaner d'elle derrière les portes.
Qu'est-ce que tu dis de ça, Kristin?

KRISTIN

Hé! Elle est dans ses mauvaises périodes en ce
moment et alors, elle est toujours un peu bizarre. Bon,
est-ce qu'il veut venir danser avec moi maintenant?

JEAN

Tu n'es tout de même pas fâchée contre moi parce que je t'ai fait faux bond...

KRISTIN

Mais non!... Pas pour si peu, il le sait bien; et je sais me tenir à ma place aussi...

JEAN (*lui prend la taille*)

Tu es une fille sensée, Kristin, et tu ferais une bonne épouse...

MADEMOISELLE (*entre; désagréablement surprise; sur un ton de plaisanterie forcée*)

Voilà un charmant cavalier qui abandonne sa dame.

JEAN

Au contraire, Mademoiselle Julie, comme vous le voyez, je me suis dépêché de venir chercher mon abandonnée!

MADEMOISELLE (*change de sujet*)

Vous savez que vous dansez comme personne!... Mais pourquoi portez-vous la livrée un soir de fête! Enlevez cela tout de suite.

JEAN

Alors, il faut que je prie Mademoiselle de s'éloigner un instant parce que ma veste noire est accrochée ici... (*S'en va vers la droite en faisant un geste*)

MADEMOISELLE

Il se gêne pour moi? Pour changer de veste! Qu'il entre chez lui alors et qu'il revienne! Sinon, il peut rester, je lui tournerai le dos!

JEAN

Avec votre permission, Mademoiselle! (*Il se rend vers la droite; on voit l'un de ses bras tandis qu'il change de veste*)

MADEMOISELLE (*à Kristin*)

Dis-moi, Kristin; Jean est-il ton fiancé pour qu'il soit si familier?

KRISTIN

Fiancé? Oui, si on veut! Nous appelons ça comme ça.

MADEMOISELLE

Appelons?

KRISTIN

Eh bien! Mademoiselle a elle-même eu un fiancé, non? et...

MADEMOISELLE

Oui, nous étions fiancés régulièrement...

KRISTIN

Mais ça n'a rien donné quand même...

(*Jean entre en redingote noire et en melon noir*)

MADEMOISELLE

Très gentil, monsieur Jean, très gentil[8]!

JEAN

Vous voulez plaisanter, Madame[9]!

MADEMOISELLE

Et vous voulez parler français[10]! Où avez-vous appris?

JEAN

En Suisse, quand j'étais *sommelier*[11] dans l'un des plus grands hôtels de Lucerne!

MADEMOISELLE

Mais c'est que vous avez l'air d'un gentleman dans cette redingote! *Charmant*[12]! (*Elle s'assoit à la table*)

JEAN

Oh! vous me flattez!

MADEMOISELLE (*choquée*)

Le flatter, lui?

JEAN

Ma modestie naturelle m'interdit de croire que vous profériez de véritables politesses à une personne comme moi et aussi me suis-je permis de présumer que vous exagériez, ou, comme on dit, me flattiez!

MADEMOISELLE

Où avez-vous appris à arranger vos propos de la sorte? Il faut que vous soyez allé souvent au théâtre?

JEAN

Cela aussi! J'ai fréquenté bien des endroits, moi!

MADEMOISELLE

Mais vous êtes né ici, dans le voisinage, non?

JEAN

Mon père était journalier[13] chez le procureur général, à côté d'ici, et j'ai souvent vu Mademoiselle, enfant, bien que Mademoiselle ne m'ait jamais remarqué.

MADEMOISELLE

Oh! vraiment!

JEAN

Oui, et je me rappelle une fois en particulier... Euh, je ne peux pas parler de ça!

MADEMOISELLE

Mais si! Allez! dites-le! comme ça, à titre exceptionnel!

JEAN

Non, pas maintenant, vraiment! Une autre fois peut-être.

MADEMOISELLE

Une autre fois, autant dire jamais. Est-ce que, maintenant, c'est si dangereux?

JEAN

Dangereux, non, mais ce serait malvenu!... Regardez donc celle-là!

MADEMOISELLE

Ça va faire une épouse agréable, ça! Peut-être qu'elle ronfle aussi?

JEAN

Ça, non, mais elle parle en dormant!

MADEMOISELLE (*cyniquement*)

Comment savez-vous qu'elle parle en dormant?

JEAN (*insolemment*)

Je l'ai entendu!

(Pause. Ils se contemplent l'un l'autre)

MADEMOISELLE

Pourquoi ne vous asseyez-vous pas?

JEAN

Je ne peux me le permettre en votre présence!

MADEMOISELLE

Mais si je l'ordonne?

JEAN

Alors, j'obéirai!

MADEMOISELLE

Asseyez-vous, alors!... Mais attendez! Pouvez-vous me donner quelque chose à boire d'abord!

JEAN

Je ne sais pas ce que nous pouvons avoir ici dans la glacière. Il y a seulement de la bière, je crois!

MADEMOISELLE

Pourquoi « seulement »? Et puis, j'ai des goûts si simples que je la préfère au vin.

JEAN *(sort de la glacière une bouteille de bière, qu'il ouvre; cherche un verre dans le placard et une assiette, puis sert)*

Je vous en prie!

MADEMOISELLE

Merci! Et vous, vous n'en prenez pas?

JEAN

Je ne suis pas précisément porté sur la bière, mais si Mademoiselle l'ordonne!

MADEMOISELLE

Ordonne?... Je pense qu'en cavalier complaisant, vous pouvez tenir compagnie à une dame!

JEAN

Très juste! (*Ouvre une autre bouteille, prend un verre*)

MADEMOISELLE

Maintenant, buvez à ma santé!

(*Jean hésite*)

MADEMOISELLE

Ma parole, il est timide, ce grand gaillard!

JEAN (*à genoux, parodiquement, lève son verre*)

À la santé de ma souveraine!

MADEMOISELLE

Bravo!... Maintenant, vous allez aussi baiser ma chaussure, comme ça, tout sera parfait!

(*Jean hésite, puis s'empare hardiment du pied de Julie, qu'il baise légèrement*)

MADEMOISELLE

Parfait! Vous auriez dû être acteur!

JEAN (*se relève*)

Cela ne peut pas aller plus loin, Mademoiselle! Quelqu'un pourrait entrer et nous voir!

MADEMOISELLE

Et qu'est-ce que ça ferait?

JEAN

Cela ferait que les gens jaseraient! tout simplement!
Et si Mademoiselle savait comment leurs langues mar-
chaient tout à l'heure...

MADEMOISELLE

Qu'est-ce qu'ils disaient donc? Racontez-moi!...
Asseyez-vous donc!

JEAN (*s'assoit*)

Je ne veux pas vous blesser, mais ils utilisaient des
expressions qui jetaient des soupçons de l'espèce
que... bon! vous êtes capable de comprendre vous-
même! Vous n'êtes pas une enfant, n'est-ce pas, et
quand on voit une dame seule en train de boire avec
un homme — quand même ce serait un domestique — et de nuit, on...

MADEMOISELLE

On quoi? Et d'ailleurs, nous ne sommes pas seuls.
Kristin est là, non!

JEAN

Elle dort!

MADEMOISELLE

Eh bien, je vais la réveiller! (*Se lève*) Kristin, tu
dors?

KRISTIN (*dans son sommeil*)

Blablablabla!

MADEMOISELLE

Kristin!... Ce qu'elle peut dormir, celle-là!

KRISTIN (*dans son sommeil*)

Les bottes de Monsieur le Comte sont brossées...
Mettre le café sur le feu... tout de suite, tout de suite,
tout de suite... ho! ho!... pah!

MADEMOISELLE (*lui pince le nez*)

Te réveilleras-tu!

JEAN (*rudement*)

On ne dérange pas quelqu'un qui dort!

MADEMOISELLE (*vivement*)

Quoi?

JEAN

Celle qui est restée au fourneau toute la journée, elle peut bien être fatiguée lorsque la nuit vient! Et le sommeil, il faut le respecter...

MADEMOISELLE (*change de ton*)

C'est joliment pensé, cela vous fait honneur... merci! (*Elle tend la main à Jean*) Sortons et cueillez-moi un peu de lilas!

JEAN

Avec Mademoiselle?

MADEMOISELLE

Avec moi?

JEAN

Ce n'est pas possible! Absolument pas!

MADEMOISELLE

Je n'arrive pas à saisir vos pensées! Se pourrait-il que vous vous imaginiez des choses?

JEAN

Non, pas moi, mais les gens!

MADEMOISELLE

Quoi? Que je sois *verliebt* [14] du domestique?

JEAN

Je ne suis pas un fat, mais on a vu des exemples... et pour le peuple, rien n'est sacré!

MADEMOISELLE

Ma parole! c'est un aristocrate!

JEAN

Oui, je le suis!

MADEMOISELLE

Je m'abaisse...

JEAN

Ne vous abaissez pas, Mademoiselle, écoutez mon conseil! Personne ne croira que vous vous abaissiez de plein gré, les gens diront toujours que vous tombez!

MADEMOISELLE

J'ai une plus haute opinion des gens que vous! Venez, essayons!... Venez! (*Elle le couve du regard*)

JEAN

Vous savez que vous êtes bizarre!

MADEMOISELLE

Peut-être! Mais vous aussi!... Tout est bizarre, d'ailleurs! La vie, les hommes, tout est une masse de boue qui dérive, dérive sur l'eau jusqu'à ce qu'elle sombre, sombre! Je fais un rêve qui revient de temps en temps et que je me rappelle en ce moment... je suis grimpée sur un pilier et je ne vois aucune possibilité de descendre; j'ai le vertige lorsque je baisse les yeux, mais il faut que je descende, seulement, je n'ai pas le courage de me lancer en bas; je n'arrive pas à me maintenir, et j'ai envie de pouvoir tomber; mais je ne tombe pas; et tout de même, je ne connaîtrai pas de calme que je ne sois arrivée en bas! pas de repos avant d'être parvenue en bas, sur le sol, et si j'arrive sur le sol, je voudrais descendre sous terre... Avez-vous ressenti quelque chose comme cela?

JEAN

Non! Je rêve, d'ordinaire, que je suis étendu sous un arbre élevé, dans une sombre forêt. Je veux monter, monter à la cime et regarder autour de moi le passage lumineux où le soleil brille, dévaliser le nid là-haut où se trouvent les œufs d'or. Et je grimpe, je grimpe, mais le tronc est tellement épais, tellement lisse, et il y a tellement loin jusqu'à la première branche. Mais je sais que si seulement j'atteignais cette première branche, j'irais à la cime comme par une échelle. Je ne l'ai pas encore atteinte, mais je l'atteindrai, quand même ce ne serait qu'en rêve!

MADEMOISELLE

Me voilà à bavarder de rêves avec vous! Venez donc! Rien que dans le parc! (*Elle lui offre le bras et ils s'en vont*)

JEAN

Nous n'avons qu'à dormir sur neuf fleurs de la Saint-Jean cette nuit, nos rêves se réaliseront, Mademoiselle[15]!

(*Parvenus à la porte, Mademoiselle et Jean se retournent. Jean porte la main à l'un de ses yeux*)

MADEMOISELLE

Faites voir ce que vous avez dans l'œil!

JEAN

Oh, ce n'est rien... Un grain de poussière seulement... ça va passer tout de suite.

MADEMOISELLE

C'est la manche de ma robe qui vous a effleuré; asseyez-vous, je vais vous soigner! (*Le prend par le bras et l'assoit; lui saisit la tête et la renverse; de la pointe de son mouchoir, elle cherche à enlever le grain de poussière*) Restez tranquille!... (*Lui donne une tape sur la main*) Eh bien, veut-il obéir!... Ma parole, il tremble, ce grand fort gaillard! (*Lui tâte le biceps*) Avec des bras pareils!

JEAN (*ton d'avertissement*)

Mademoiselle Julie!

(*Kristin s'est réveillée, elle s'en va, ivre de sommeil, vers la droite se coucher*)

MADEMOISELLE

Oui, Monsieur Jean.

JEAN

Attention! Je ne suis qu'un homme[16]!

MADEMOISELLE

Veut-il rester tranquille!... Voilà! C'est parti! Baisez-moi la main et remerciez-moi!

JEAN (*se lève*)

Mademoiselle Julie! Écoutez-moi!... Kristin est partie se coucher maintenant!... Voulez-vous m'écouter!

MADEMOISELLE

Baisez-moi la main d'abord!

JEAN

Écoutez-moi!

MADEMOISELLE

Baisez-moi la main d'abord!

JEAN

Bon, mais ne vous en prenez qu'à vous-même!

MADEMOISELLE

De quoi?

JEAN

De quoi? Êtes-vous une enfant, à vingt-cinq ans? Vous ne savez pas que c'est dangereux de jouer avec le feu?

MADEMOISELLE

Pas pour moi; je suis assurée!

JEAN

Non, vous ne l'êtes pas! Et même si vous l'êtes, il y a des produits inflammables dans le voisinage!

MADEMOISELLE

Vous voulez dire vous?

JEAN

Oui! Ce n'est pas parce que c'est moi, mais parce que je suis un homme jeune...

MADEMOISELLE

D'aspect avantageux... Quelle incroyable fatuité! Un Don Juan peut-être! Ou un Joseph[17]! Sur mon âme, je crois bien que c'est un Joseph!

JEAN

Vous croyez?

MADEMOISELLE

Pour un peu, j'en aurais peur!

(Jean s'avance hardiment et veut la prendre par la taille pour l'embrasser)

MADEMOISELLE *(lui administre une gifle)*

Vous n'avez pas honte!

JEAN

C'est sérieux ou c'est une plaisanterie?

MADEMOISELLE

C'est sérieux!

JEAN

Alors, tout à l'heure, c'était sérieux aussi! Vous jouez bien trop sérieusement, c'est ça qui est dangereux! Maintenant, je suis fatigué de jouer, je vous prie de m'excuser si je retourne à mon travail! Monsieur le Comte doit avoir ses bottes en temps voulu et il y a longtemps que minuit est passé!

MADEMOISELLE

Laissez ces bottes!

JEAN

Non! C'est mon service que je suis tenu de faire, mais je ne me suis jamais engagé à être votre camarade de jeux et je ne pourrai jamais l'être, je me tiens pour trop bon pour cela.

MADEMOISELLE

Vous êtes fier!

JEAN

Dans certains cas; dans d'autres, non!

MADEMOISELLE

Avez-vous jamais aimé?

JEAN

Nous ne nous servons pas de ce mot, mais j'ai eu de l'affection pour beaucoup de filles et un jour, j'ai été malade de ne pas pouvoir avoir celle que je voulais : malade, voyez-vous, comme les princes dans *Les Mille et Une Nuits,* qui, par pur amour, n'étaient plus capables de manger ou de boire!

MADEMOISELLE

Qui était-ce?

(Jean se tait)

MADEMOISELLE

Qui était-ce?

JEAN

Vous ne pouvez pas me forcer à le dire!

MADEMOISELLE

Si je vous le demande comme une égale, comme une... amie! Qui était-ce?

JEAN

C'était vous!

MADEMOISELLE *(s'assoit)*

Cocasse!

JEAN

Oui, si vous voulez! C'était ridicule!... Voyez-vous, c'était cette histoire-là que je ne voulais pas raconter tout à l'heure, mais maintenant, je vais vous la dire!

Savez-vous de quoi le monde a l'air, vu d'en bas...
vous ne le savez pas! C'est comme les éperviers et les
faucons dont on voit rarement le dos parce qu'en
général, ils planent là-haut! Je vivais dans la chaumine
du journalier avec sept frères et sœurs et un cochon
dehors dans le champ gris où ne poussait pas un seul
arbre! Mais de la fenêtre, je voyais le mur du parc de
Monsieur le Comte, avec des pommiers qui dépas-
saient. C'était le jardin de paradis; et il y avait là quantité d'anges furieux tenant des épées de feu et gardant
ce parc. Mais cela ne nous empêchait pas, d'autres
garçons et moi, de trouver le chemin de l'arbre de
vie[18]... Maintenant, vous me méprisez...

MADEMOISELLE

Oh! Voler des pommes, tous les gamins le font,
n'est-ce pas!

JEAN

Vous pouvez dire cela maintenant, mais vous me
méprisez en tout cas! Peu importe! Un jour, je suis
entré dans le jardin de paradis avec ma mère pour sar-
cler les carrés d'oignons. À côté du potager, il y avait
un pavillon turc ombragé de jasmins et couvert de
chèvrefeuille. Je ne savais pas à quoi il pouvait servir,
mais je n'avais jamais vu un bâtiment aussi beau. Des
gens y entraient et en ressortaient et, un jour, la porte
était restée ouverte. Je m'y suis faufilé et j'ai vu les
murs couverts de tableaux de rois et d'empereurs, et
aux fenêtres, il y avait des rideaux rouges à franges...
Maintenant, vous comprenez ce que je veux dire.
Moi... (*Il cueille une fleur de lilas et la met sous le nez de
Mademoiselle*), je n'étais jamais entré au château, je
n'avais jamais rien vu d'autre que l'église... Mais ça,
c'était plus beau. Et n'importe où allaient mes pensées, c'était toujours là qu'elles revenaient. Et peu peu,
le désir s'est levé de faire un jour l'expérience de tout
ce plaisir... *enfin*[19], je me suis glissé à l'intérieur, j'ai
vu, j'ai admiré. Mais alors, il est arrivé quelqu'un! Il

n'y avait qu'une sortie pour les maîtres, mais pour moi, il en restait une autre, et je n'avais pas d'autre choix que de prendre celle-là!

(Mademoiselle qui a pris le lilas, le laisse tomber sur la table)

JEAN

Là-dessus, j'ai pris mes jambes à mon cou, j'ai traversé en trombe une haie de framboisiers, passé un carré de fraisiers et grimpé sur la terrasse aux rosiers. Là, j'ai aperçu une robe rose et des bas blancs... c'était vous. Je me suis allongé sous un tas de mauvaises herbes — dessous, vous imaginez! — sous des chardons qui piquaient, avec la terre humide qui sentait mauvais; et je vous ai vue qui marchiez dans les roses, et j'ai pensé : s'il est vrai qu'un larron peut entrer au paradis et séjourner parmi les anges, il est étrange qu'un enfant de journalier, ici-bas, sur la terre de Dieu, ne puisse entrer dans le parc du château et jouer avec la fille du comte!

MADEMOISELLE *(ton élégiaque)*

Pensez-vous que tous les enfants pauvres auraient eu les mêmes pensées en pareil cas?

JEAN *(d'abord hésitant, puis avec conviction)*

Si tous les pauvres... oui... Bien entendu! Bien entendu!

MADEMOISELLE

Ce doit être un malheur infini que d'être pauvre!

JEAN *(avec une profonde douleur, fortement exagérée)*

Oh! Mademoiselle Julie! Oh!... Il peut bien arriver à un chien de coucher sur le sofa de madame la Comtesse, à un cheval d'être caressé sur les naseaux par une main de demoiselle, mais un domestique...

(*change de ton*)... Eh oui, il y en a certains qui ont assez d'étoffe pour s'élever dans le monde, mais combien de fois ça arrive !... En attendant, vous savez ce que j'ai fait ensuite !... J'ai sauté tout habillé dans le ruisseau du moulin ; on m'en a retiré et j'ai reçu une volée. Mais le dimanche suivant, quand père et tout le monde sont allés voir grand-mère, je me suis arrangé pour rester à la maison. Je me suis lavé au savon et à l'eau chaude, j'ai mis mes plus beaux habits et je suis allé à l'église où je pourrais vous voir ! Je vous ai vue et je suis rentré décidé à mourir ; mais je voulais mourir en beauté et agréablement, sans douleur. Et alors, je me suis rappelé qu'il était dangereux de dormir sous un sureau. Nous en avions un grand qui était justement tout en fleur. J'ai pillé ces fleurs et j'en ai fait un lit dans le coffre à avoine. Avez-vous remarqué comme l'avoine est douce ? Douce au toucher comme un épiderme humain.... Cependant, j'ai refermé le couvercle et j'ai fermé les yeux. Je me suis endormi et je me suis réveillé réellement très malade. Mais je ne suis pas mort, comme vous le voyez bien.

Ce que je voulais... je ne le sais pas ! Vous, aucun espoir de vous conquérir, n'est-ce pas... mais vous étiez un symbole de la vanité de vouloir sortir du cercle dans lequel j'étais né.

MADEMOISELLE

Vous avez une façon charmante de raconter, vous savez ! Vous êtes allé à l'école ?

JEAN

Peu ; mais j'ai lu pas mal de romans et j'ai fréquenté les théâtres. En outre, j'ai entendu parler des gens chic et c'est là que j'ai appris le plus !

MADEMOISELLE

Vous restez écouter ce que nous disons !

JEAN

Bien sûr ! Et j'en ai entendu, moi ! quand je fais le cocher ou que je mène la barque à la rame ! Un jour, j'ai entendu Mademoiselle Julie et une amie...

MADEMOISELLE

Oh!... Qu'est-ce que vous avez donc entendu?

JEAN

Eh, ce n'est pas tellement facile à dire! Mais sûr que j'ai été un peu étonné, et je n'ai pas compris où vous aviez appris tous ces mots. Peut-être qu'au fond, il n'y a pas une différence aussi grande qu'on croit entre un être humain et un autre!

MADEMOISELLE

Fi donc! Nous ne nous comportons pas comme vous lorsque nous sommes fiancés.

JEAN (*la dévisage*)

C'est sûr, ça?... Ça ne vaut pas la peine que Mademoiselle fasse l'innocente...

MADEMOISELLE

C'était un goujat, l'homme à qui j'ai accordé mon amour!

JEAN

C'est ce que vous dites toujours... par la suite!

MADEMOISELLE

Toujours?

JEAN

Toujours, je crois, étant donné que j'ai entendu cette expression plusieurs fois déjà dans des circonstances identiques.

MADEMOISELLE

Quelles circonstances?

JEAN

Comme celle dont il est question! La dernière fois...

MADEMOISELLE (*se lève*)

Taisez-vous! Je ne veux pas en entendre davantage!

JEAN

Elle non plus, elle ne voulait pas... c'est remarquable! Bon, je vous demande la permission d'aller me coucher!

MADEMOISELLE (*gentiment*)

Allez se coucher la nuit de la Saint-Jean!

JEAN

Oui! Danser avec la racaille là-haut, cela ne m'amuse vraiment pas!

MADEMOISELLE

Prenez la clef du hangar à bateaux et emmenez-moi faire un tour à la rame sur le lac; je veux voir le lever du soleil!

JEAN

Est-ce raisonnable?

MADEMOISELLE

On dirait que vous avez peur pour votre réputation!

JEAN

Pourquoi pas? Je ne tiens pas à être ridicule, je ne tiens pas à être mis à la porte sans certificat lorsque je m'établirai, et je pense avoir certaines obligations envers Kristin!

MADEMOISELLE

Ah bon! c'est Kristin à présent...

JEAN

Oui, mais c'est vous aussi... Écoutez mon conseil, montez vous coucher!

MADEMOISELLE

Suis-je censée vous obéir?

JEAN

Pour une fois; pour votre bien! Je vous en prie! La nuit est avancée, le sommeil rend ivre, la tête s'échauffe! Allez vous coucher! D'ailleurs... si je ne me trompe, les gens vont venir ici me chercher! Et si on vous trouve ici, vous êtes perdue!

(Le chœur approche en chantant)

> L'est venu deux dames du bois
> Tridiridi-ralla, tridiridi-ra
> L'une avait mouillé son bas
> Tridiridi-ralla-la.
>
> De cent rixdales elles parlaient
> Tridiridi-ralla, tridiridi-ra.
> À peine un'seule elles avaient
> Tridiridi-ralla-la.
>
> Et la couronne je te la tends
> Tridiridi-ralla, tridiri-ra
> À un autre va mon sentiment
> Tridiridi-ralla-la!

MADEMOISELLE

Je connais mes gens et je les aime, tout comme ils ont de l'affection pour moi! Qu'ils viennent, vous allez voir.

JEAN

Non, Mademoiselle Julie, ils ne vous aiment pas. Ils acceptent ce que vous leur donnez à manger, mais ils crachent dessus! Croyez-moi! Écoutez-les, écoutez donc ce qu'ils chantent!... Non, ne les écoutez pas!

MADEMOISELLE (*écoute*)

Qu'est-ce qu'ils chantent?

JEAN

C'est une chanson diffamatoire! Sur vous et sur moi!

MADEMOISELLE

C'est infâme! Quelle horreur! Et quelle sournoiserie!...

JEAN

La racaille est toujours lâche! Et dans ce combat, la seule chose à faire est de fuir!...

MADEMOISELLE

Fuir? Mais où? Sortir, nous n'y arriverons pas! Et chez Kristin, nous ne pouvons pas!

JEAN

Bon! Alors, chez moi? Nécessité n'a pas de loi. Et à moi, vous pouvez vous fier car je suis votre véritable, sincère et respectueux ami!

MADEMOISELLE

Mais pensez donc!... Pensez, si on vous cherche là!

JEAN

Je verrouille la porte, et si l'on veut entrer de force, je tire!... Venez. (*À genoux*) Venez!

MADEMOISELLE (*insistant sur les mots*)

Me promettez-vous...

JEAN

Je le jure!

(Mademoiselle sort rapidement sur la droite. Jean suit vivement)

Ballet

Les paysans en costume de fête, des fleurs au chapeau; un violoneux mène le cortège; on pose sur la table un baril de petite bière et un tonnelet d'eau-de-vie décorés de verdure; on apporte des verres. Puis on boit. Ensuite, on se met en rond et on chante et danse la ronde : « L'est venu deux dames du bois. »
Cela fait, ils repartent en chantant.

(Mademoiselle entre, seule; voit les dégâts dans la cuisine; joint les mains; puis elle sort une houpette et se poudre le visage)

JEAN *(entre, exalté)*

Là, vous voyez! Et vous avez entendu! Croyez-vous possible de rester ici?

MADEMOISELLE

Non! Je ne crois pas! Mais qu'allons-nous faire?

JEAN

Fuir, partir, loin d'ici!

MADEMOISELLE

Partir? Mais pour où?

JEAN

Pour la Suisse, pour les lacs italiens... Là, vous n'avez jamais été?

MADEMOISELLE

Non! C'est beau là-bas?

JEAN

Oh! un éternel été, des orangers, des lauriers, oh!

MADEMOISELLE

Mais après, qu'est-ce que nous y ferons?

JEAN

J'y monterai un hôtel avec un service de première
classe et des clients de première classe.

MADEMOISELLE

Un hôtel?

JEAN

Ça, c'est une vie, vous saurez. Sans cesse de nouveaux visages, de nouveaux langages; pas une minute
de loisir pour ruminer ou s'énerver; pas à chercher
une occupation, le travail vient tout seul; nuit et jour,
la sonnette qui vibre, le train qui siffle, la diligence qui
arrive et qui repart; pendant ce temps, les pièces d'or
roulent sur le comptoir. Ça, c'est une vie!

MADEMOISELLE

Oui, c'est vivre, cela! Et moi?

JEAN

Maîtresse de la maison; ornement de l'établisse-
ment. Avec votre allure et votre style... oh!... le succès
est assuré! Colossal! Vous siégez comme une reine au
bureau et mettez les esclaves en mouvement en
appuyant sur un bouton électrique; les clients défilent
devant votre trône et déposent timidement leur tribut

sur votre table — vous ne sauriez croire ce que les gens tremblent quand ils ont en main une note d'hôtel. Moi, je salerai les notes et vous, vous les sucrerez par votre plus beau sourire — Oh! partons d'ici... (*Il sort un indicateur de sa poche*) tout de suite, par le prochain train! Nous serons à Malmö à dix-huit heures trente; Hambourg à huit heures quarante du matin; Francfort, Bâle, une journée et Côme par le tunnel du Saint-Gothard dans, voyons, dans trois jours! Trois jours!

MADEMOISELLE

Tout ça, c'est bien! Mais Jean... il faut que tu me donnes du courage... Dis que tu m'aimes! Viens et prends-moi dans tes bras!

JEAN (*hésitant*)

Je veux... mais je n'ose pas! Plus ici, dans cette maison! Je vous aime... sans aucun doute... Pouvez-vous en douter?

MADEMOISELLE (*timidement, bien féminine*)

Vous!... Dis-moi tu! Entre nous, plus de barrières!... Dis-moi tu!

JEAN (*au supplice*)

Je ne peux pas!... Il y a encore des barrières entre nous, tant que nous séjournerons dans cette maison... Il y a le passé, il y a monsieur le Comte... et je n'ai jamais rencontré personne pour qui j'aie un pareil respect... il me suffit de voir ses gants sur une chaise, je me sens petit... Il suffit que j'entende la sonnette là-haut, je sursaute comme un cheval ombrageux!... Et quand je vois ses bottes là, droites et arrogantes, ça me prend dans le dos, il faut que je me courbe! (*Il donne un coup de pied dans les bottes*) Superstition, préjugés qu'on nous a enseignés depuis l'enfance... mais qu'on ne peut pas tout aussi facilement oublier. Venez dans un autre pays pour peu que ce soit une république et on s'étalera devant la livrée de mon portier... Il *faudra* qu'on s'étale, voyez-vous ; mais *moi*, je ne le ferai pas ! Je ne suis pas né pour m'étaler, j'ai de l'étoffe, moi, j'ai du caractère, il suffit que je m'empare de la première branche et vous me verrez grimper !

Aujourd'hui, je suis domestique, mais l'an prochain, je serai propriétaire, dans dix ans, je serai rentier et ensuite, je voyagerai en Roumanie, je me ferai décorer et je *pourrai* — notez bien que je dis « pourrai » — finir comte !

MADEMOISELLE

Tout beau ! tout beau !

JEAN

Oh ! en Roumanie, on achète un titre de comte et alors, vous serez comtesse quand même ! Ma comtesse !

MADEMOISELLE

Qu'ai-je à faire de tout cela, que je rejette à présent !... Dis-moi que tu m'aimes, sinon... Oui, sinon, qu'est-ce que je suis ?

JEAN

Je le dirai, mille fois... ensuite... mais pas ici ! Et avant tout, pas de sentiments, si on ne veut pas que tout soit perdu ! Il faut prendre cette affaire froidement ! en personnes raisonnables ! (*Il sort un cigare, coupe le bout et l'allume*) Asseyez-vous donc, ici ! je m'assiérai là et nous parlerons comme si rien n'était arrivé !

MADEMOISELLE (*désespérée*)

Oh mon Dieu ! N'avez-vous donc aucun sentiment !

JEAN

Moi ! Il n'y a pas d'être humain aussi sensible que moi ; mais je sais me réfréner.

MADEMOISELLE

Tout à l'heure, vous étiez capable de baiser ma chaussure... et maintenant!

JEAN (*durement*)

Oui, tout à l'heure! À présent, nous avons autre chose à penser!

MADEMOISELLE

Ne me parlez pas durement!

JEAN

Non, mais raisonnablement! Une folie a été commise, n'en commettez pas d'autres! Monsieur le Comte peut être ici n'importe quand et avant cela, il faut que notre destinée soit réglée. Que vous semble de mes plans d'avenir? Y souscrivez-vous?

MADEMOISELLE

Ils me semblent très acceptables, mais une question seulement : une aussi grande entreprise exige un capital considérable. L'avez-vous?

JEAN (*mâchonne son cigare*)

Moi! Sans aucun doute! J'ai mes compétences professionnelles, mon expérience fabuleuse, ma connaissance des langues, c'est un capital qui vaut la peine, j'aime à le croire!

MADEMOISELLE

Mais avec tout cela, vous ne pouvez pas même prendre un billet de chemin de fer.

JEAN

C'est vrai, en effet; mais c'est pour cela que je cherche une personne qui possède un fonds de roulement, qui puisse avancer les fonds!

MADEMOISELLE

Où le trouverez-vous dans cette hâte?

JEAN

C'est vous qui allez le trouver si vous voulez être mon associée!

MADEMOISELLE

Je ne le peux pas, et je ne possède rien personnellement.

(Pause)

JEAN

Alors, toute l'affaire s'écroule...

MADEMOISELLE

Et...

JEAN

Tout reste tel quel!

MADEMOISELLE

Croyez-vous que je resterai sous ce toit comme votre concubine? Croyez-vous que je laisserai les gens me montrer du doigt; pensez-vous que je pourrai regarder mon père en face après cela? Non! Pour moi, partons d'ici; quittons cet abaissement et ce déshonneur!... Oh! qu'est-ce que j'ai fait, mon Dieu, mon Dieu! (Elle pleure)

JEAN

Allons, on ne va pas entamer cette chanson!... Ce que vous avez fait? La même chose que bien d'autres avant vous!

MADEMOISELLE (*crie convulsivement*)

Et maintenant, vous me méprisez!... Je tombe! je tombe!

JEAN

Tombez jusqu'à mon niveau, je vous relèverai ensuite!

MADEMOISELLE

Quelle force épouvantable m'a attirée vers vous? Celle du faible vers le fort? Celle qui tombe vers celle qui monte? Ou bien était-ce l'amour? L'amour, cela? Savez-vous ce que c'est, l'amour?

JEAN

Moi? Oui, je vous le garantis; vous ne croyez pas que ça m'est déjà arrivé?

MADEMOISELLE

Quelle langue parlez-vous, et quelles pensées avez-vous là!

JEAN

C'est ce que j'ai appris, et voilà ce que je suis! Ne soyez donc pas nerveuse et ne jouez pas la délicate, parce que maintenant, nous sommes du même acabit!... Allez, ma petite fille, viens, je vais t'offrir un verre de superfin! (*Il ouvre le tiroir de la table et sort une bouteille de vin; emplit deux verres qui ont déjà servi*)

MADEMOISELLE

D'où tenez-vous ce vin?

JEAN

De la cave!

MADEMOISELLE

Le bourgogne de mon père!

JEAN

Il n'est pas bon pour le gendre?

MADEMOISELLE

Et je bois de la bière! Moi!

JEAN

Cela prouve seulement que vous avez moins bon goût que moi!

MADEMOISELLE

Voleur!

JEAN

Vous avez l'intention de moucharder?

MADEMOISELLE

Oh! oh! Complice d'un cambrioleur! J'ai été ivre, j'ai rêvé cette nuit! La nuit de la Saint-Jean! La fête des jeux innocents...

JEAN

Innocents, hum!

MADEMOISELLE (*fait les cent pas*)

Y a-t-il sur terre en ce moment un être humain qui soit aussi malheureux que moi!

JEAN

Pourquoi l'êtes-vous? Après une pareille conquête! Pensez à Kristin, là, à l'intérieur! Ne croyez-vous pas qu'elle a des sentiments, elle aussi!

MADEMOISELLE

Je le croyais tout à l'heure, mais je ne le crois plus !
Non, un valet est un valet...

JEAN

Et une putain est une putain !

MADEMOISELLE (*à genoux, les mains jointes*)

Ô Dieu du ciel, mets un terme à ma misérable vie !
Enlève-moi à cette boue dans laquelle je sombre !
Sauve-moi ! Sauve-moi !

JEAN

Je ne peux nier que je suis désolé pour vous ! Quand
j'étais dans le carré d'oignons et que je vous voyais
dans la roseraie, je... Je le dirai maintenant... J'avais les
mêmes laides pensées que tous les garçons.

MADEMOISELLE

Et vous qui vouliez mourir pour moi !

JEAN

Dans le coffre à avoine ! Ce n'étaient que des bali-
vernes !

MADEMOISELLE

Un mensonge, ainsi !

JEAN (*qui commence à avoir sommeil*)

Pratiquement ! Cette histoire, j'ai dû la lire dans un
journal où il était question d'un ramoneur qui s'était
couché dans un coffre à bois plein de lilas parce qu'il
était assigné en justice pour une affaire d'aide ali-
mentaire à un enfant...

MADEMOISELLE

Ah bon ! vous êtes de ce genre...

JEAN

Tout ce qu'il fallait que j'invente; c'est toujours par des beaux discours qu'on capture les bonnes femmes, n'est-ce pas!

MADEMOISELLE

Canaille!

JEAN

Merde [20]!

MADEMOISELLE

Et maintenant, vous avez vu le dos de l'épervier...

JEAN

Pas exactement *le dos*...

MADEMOISELLE

Et je devais être la première branche...

JEAN

Mais la branche était pourrie...

MADEMOISELLE

Je devais être l'enseigne de l'hôtel...

JEAN

Et moi, l'hôtel...

MADEMOISELLE

Siéger derrière votre comptoir, attirer vos clients, falsifier vos notes...

JEAN

Ça, je l'aurais fait moi-même...

MADEMOISELLE

Dire qu'une âme humaine peut être si profondément sale!

JEAN

Y a qu'à la laver!

MADEMOISELLE

Laquais, domestique, debout lorsque je parle!

JEAN

Concubine à laquais, pute à domestiques, ferme-la et fous le camp d'ici! Faut-il que ce soit toi qui viennes me reprocher d'être grossier? Aussi grossièrement que tu t'es conduite ce soir, jamais aucun de mes semblables ne l'a fait. Crois-tu qu'une servante s'attaque aux hommes comme toi; as-tu vu une fille de ma classe se prostituer de la sorte? Des choses pareilles, je n'ai vu ça que parmi les bêtes et les femmes déchues!

MADEMOISELLE (*accablée*)

C'est juste; battez-moi; foulez-moi aux pieds; je n'ai pas mérité mieux! Je suis une canaille! Mais aidez-moi! Aidez-moi à sortir de là s'il existe quelque possibilité.

JEAN (*plus doux*)

Je ne veux pas me couvrir de honte en renonçant à ma part dans l'honneur d'avoir séduit. Mais croyez-vous qu'une personne de ma condition aurait osé lever les yeux sur vous si vous n'y aviez pas invité vous-même. J'en suis encore étonné...

MADEMOISELLE

Et fier...

JEAN

Pourquoi pas! Bien que je doive confesser que la victoire m'a paru trop facile pour enivrer vraiment.

MADEMOISELLE

Frappez-moi encore!

JEAN (*se lève*)

Non! Pardonnez-moi plutôt pour ce que j'ai dit! Je ne frappe pas une personne désarmée et surtout pas une femme. Je ne puis nier que, d'un côté, je me réjouis d'avoir pu voir que ce n'était que du clinquant, ce qui nous éblouissait, en bas, et d'avoir pu voir que le dos de l'épervier était seulement gris lui aussi, et que c'était de la poudre qui rendait la joue délicate et qu'il pouvait y avoir des rebords noirs aux ongles polis, que le mouchoir était sale bien qu'il sente le parfum; mais de l'autre côté je souffre d'avoir vu que ce que je cherchais à atteindre moi-même n'était pas un peu plus élevé, plus solide; je souffre de vous voir sombrée si profondément, bien en dessous de votre cuisinière; cela me fait souffrir, comme de voir les fleurs d'automne fouettées et mises en pièces par la pluie et transformées en boue.

MADEMOISELLE

Vous parlez comme si vous étiez déjà au-dessus de moi!

JEAN

C'est bien ça aussi. Voyez-vous, je pourrais vous transformer en comtesse, mais vous ne pourrez jamais faire de moi un comte.

MADEMOISELLE

Mais moi, je suis née d'un comte et cela, vous ne pourrez jamais le devenir!

JEAN

C'est vrai : mais je pourrais engendrer des comtes...
si...

MADEMOISELLE

Mais vous êtes un voleur; pas moi.

JEAN

Voleur, ce n'est pas le pire! Il y a des choses plus
graves! Et d'ailleurs : quand je sers dans une maison,
je me tiens d'une certaine façon pour membre de la
famille, pour enfant de cette maison, et on ne prend
pas pour un vol le fait que les enfants chipent une baie
dans des buissons pleins de fruits! (*Sa passion se
réveille*) Mademoiselle Julie, vous êtes une femme
splendide, bien trop bonne pour un homme comme
moi! Vous avez été la proie d'une ivresse et vous voulez cacher cette faute en vous imaginant que vous
m'aimez! Mais vous ne m'aimez pas en dehors de la
possibilité que mon apparence extérieure vous
séduise... et alors, votre amour ne vaut pas mieux que
le mien... Mais je ne pourrai jamais me satisfaire de
n'être pour vous qu'un animal, et votre amour, je ne
pourrai jamais le susciter.

MADEMOISELLE

En êtes-vous sûr?

JEAN

Vous voulez dire que cela peut se faire!... Que je
pourrais vous aimer, oui, sans doute : vous êtes belle,
vous êtes délicate (*S'approche d'elle et lui prend la
main*), cultivée, aimable quand vous le voulez, et la
flamme que vous avez éveillée chez un homme ne
s'éteindra vraisemblablement jamais. (*Lui met le bras
autour de la taille*) Vous êtes comme du vin chaud fortement épicé, et un baiser de vous... (*Il cherche à la
faire sortir, mais elle se dégage doucement*)

MADEMOISELLE

Laissez-moi!... Ce n'est pas de cette façon-là que vous me conquerrez!

JEAN

Et comment, alors?... Pas de cette façon-là! Pas de caresses et de belles paroles; pas en pensant à l'avenir, pas en vous sauvant de l'abaissement! Mais *comment*, alors?

MADEMOISELLE

Comment? comment? Je ne sais pas?... Pas du tout!... Je vous ai en horreur comme j'ai en horreur les rats, mais je ne peux vous fuir!

JEAN

Fuyez avec moi!

MADEMOISELLE (*se redresse*)

Fuir? Oui, nous allons fuir!... Mais je suis si fatiguée! Donnez-moi un verre de vin! (*Jean verse le vin. Elle regarde sa montre*) Mais nous allons parler d'abord, nous avons encore un peu de temps pour nous. (*Boit un verre, tend le verre pour en avoir davantage*)

JEAN

Ne buvez pas immodérément comme ça, vous allez être ivre!

MADEMOISELLE

Et alors?

JEAN

Et alors? C'est vulgaire de s'enivrer!... Que vouliez-vous me dire, donc?

MADEMOISELLE

Nous allons fuir! Mais nous allons parler d'abord, je veux dire que je vais parler, moi, parce qu'il n'y a que vous qui ayez parlé jusqu'ici. Vous avez raconté votre vie, maintenant, je veux raconter la mienne, ainsi, nous nous connaîtrons à fond avant d'entamer notre marche ensemble.

JEAN

Un instant! Pardon! Réfléchissez si vous ne regretterez pas ensuite lorsque vous aurez livré tous vos secrets!

MADEMOISELLE

N'êtes-vous pas mon ami?

JEAN

Si, parfois! Mais ne vous fiez pas à moi.

MADEMOISELLE

Vous dites ça comme ça... et d'ailleurs : mes secrets, chacun les connaît... Voyez-vous, ma mère était d'origine roturière, quelque chose de très simple. Elle avait été élevée selon les doctrines de son temps : égalité, liberté de la femme et tout cela. Et elle avait une aversion déclarée pour le mariage. Quand, en conséquence, mon père lui a fait sa demande en mariage, elle a répondu qu'elle ne serait jamais son épouse mais qu'il pourrait devenir son amant. Il lui représenta qu'il n'avait pas envie de voir la femme qu'il aimait bénéficier de moins de respect que lui. Comme elle déclarait que l'estime du monde ne la concernait pas, et sous le coup de la passion qu'il éprouvait, il accepta ses conditions.

Seulement maintenant, il était exclu de la fréquentation de son entourage et il était renvoyé à sa vie domestique qui ne pouvait le satisfaire, malgré tout. Je suis venue au monde... contre le souhait de ma mère, d'après ce que j'ai pu comprendre. Je devais donc être élevée par ma mère en enfant de la nature et par-dessus le marché apprendre tout ce qu'un garçon peut apprendre, pour que je sois un exemple du fait que la femme était aussi bonne que l'homme. J'ai dû porter des habits de garçon, apprendre à panser les chevaux mais pas aller à l'étable. Il m'a fallu étriller et harnacher, apprendre l'agriculture et aller à la chasse, et même abattre les bêtes.... c'était affreux! Au domaine, on mettait les hommes à des occupations de femmes et inversement... nous étions la risée de la contrée. Finalement, mon père a dû se réveiller de cet ensorcellement et il s'est révolté, si bien que tout a été modifié selon son désir. Là-dessus, mes parents se sont mariés à l'église, en secret. Ma mère est tombée malade... de quelle maladie, je ne sais pas... mais elle avait souvent des convulsions, elle se cachait au grenier et dans le jardin et il lui arrivait de rester dehors toute la nuit. Puis est arrivé le grand incendie dont vous avez entendu parler. La maison, les écuries et l'étable ont brûlé et ce, dans des circonstances particulièrement étranges qui ont fait soupçonner un incendie volontaire car cet accident s'est produit le lendemain de l'échéance du terme de l'assurance et les primes envoyées par mon père ont été retardées à cause de la négligence du messager, si bien qu'elle ne sont pas arrivées en temps voulu. (*Elle emplit son verre et boit*)

JEAN

Ne buvez plus!

MADEMOISELLE

Oh! qu'est-ce que ça fait!... Nous étions sans le sou et devions dormir dans les voitures. Mon père ne savait où il trouverait de l'argent pour reconstruire la maison car ses anciens amis, il avait dû les négliger si bien qu'ils l'avaient oublié. Alors, mère lui conseilla de

chercher à emprunter à un ami d'enfance à elle, un
fabricant de tuiles, ici, dans le voisinage. Père
emprunta, mais il n'eut pas à payer d'intérêts, ce qui
l'étonna. Et le domaine fut reconstruit!... (*Elle boit
encore*) Savez-vous qui avait incendié le domaine?

JEAN

Madame votre mère!

MADEMOISELLE

Savez-vous qui était le fabricant de tuiles?

JEAN

L'amant de votre mère?

MADEMOISELLE

Savez-vous à qui était l'argent?

JEAN

Attendez un peu... non, je ne sais pas.

MADEMOISELLE

C'était à ma mère!

JEAN

Au comte donc, s'il n'y avait pas de contrat?

MADEMOISELLE

Il n'y avait pas de contrat!... Ma mère avait un peu
de bien qu'elle ne voulait pas remettre à l'administration de mon père, aussi l'avait-elle placé chez... cet
ami.

JEAN

Qui a mis le grappin dessus.

MADEMOISELLE

Parfaitement! Il l'a gardé!... Tout cela vient à la connaissance de mon père; il ne peut intenter un procès, ni payer l'amant de sa femme, ni prouver que c'est l'argent de son épouse!... Cette fois-là, il a été sur le point de se tuer!... le bruit a couru qu'il l'avait essayé et qu'il avait échoué! Mais il s'est relevé et ma mère a dû expier ses actes! Ça a été cinq fameuses années pour moi, vous pensez bien! J'aimais mon père mais j'ai pris parti pour ma mère étant donné que je ne connaissais pas les circonstances. J'avais appris d'elle la haine de l'homme... Car elle haïssait les hommes comme vous le savez... Et je lui ai juré de ne jamais devenir l'esclave d'un homme.

JEAN

Et puis, vous vous êtes fiancée avec le bailli!

MADEMOISELLE

Uniquement pour qu'il devienne mon esclave!

JEAN

Et ça, il ne l'a pas voulu?

MADEMOISELLE

Il voulait bien, mais il ne l'a pas pu! Je me suis fatiguée de lui!

JEAN

J'ai vu ça... dans l'écurie?

MADEMOISELLE

Qu'est-ce que vous avez vu?

JEAN

Ce que j'ai vu... Comment il a rompu les fiançailles!

MADEMOISELLE

C'est un mensonge! C'est moi qui ai rompu! A-t-il dit que c'était lui, le misérable?

JEAN

Ce n'était sans doute pas un misérable! Vous haïssez les hommes, Mademoiselle?

MADEMOISELLE

Oui, pour la plupart! Mais parfois... quand vient la faiblesse... Oh! pouah!

JEAN

Vous me haïssez, moi aussi?

MADEMOISELLE

Infiniment! Je voudrais vous faire abattre comme une bête...

JEAN

« Le criminel sera condamné à deux ans de travaux forcés et l'animal sera tué[21]. » C'est bien cela?

MADEMOISELLE

Exactement!

JEAN

Mais à présent il n'y a pas de plaignant... et pas d'animal! Alors, qu'allons-nous faire?

MADEMOISELLE

Partir!

JEAN

Pour nous torturer à mort, mutuellement?

MADEMOISELLE

Non! Pour jouir, deux jours, huit jours, aussi long-temps que l'on peut jouir et puis... mourir.

JEAN

Mourir? Quelle bêtise! Alors, je crois qu'il vaut mieux monter un hôtel!

MADEMOISELLE (*sans entendre Jean*)

Au bord du lac de Côme, où le soleil brille toujours, où les lauriers verdissent à Noël et les orangers luisent...

JEAN

Le lac de Côme est un trou pluvieux et je n'y ai pas vu d'oranges ailleurs que dans les épiceries; mais c'est un bon endroit pour les étrangers parce qu'il y a beaucoup de villas que l'on loue aux couples d'amants et c'est une industrie très avantageuse... Vous savez pourquoi?... Eh bien, on loue au semestre... et les gens s'en vont au bout de trois semaines!

MADEMOISELLE (*naïvement*)

Pourquoi au bout de trois semaines?

JEAN

Parce qu'ils se brouillent, bien entendu; mais il faut payer la location quand même! Et alors, on reloue! Et ainsi de suite! C'est que l'amour, ça ne manque pas... bien qu'il ne dure pas tellement longtemps!

MADEMOISELLE

Vous ne voulez pas mourir avec moi?

JEAN

Je ne veux pas mourir du tout! Parce que d'une part j'aime la vie, de l'autre, je tiens le suicide pour un crime contre la providence qui nous a donné la vie.

MADEMOISELLE

Vous croyez en Dieu, *vous*?

JEAN

Certainement que j'y crois! Et je vais à l'église un dimanche sur deux!... Pour parler franc, maintenant, j'en ai assez de tout cela et je vais aller me coucher!

MADEMOISELLE

Ah bon! et vous croyez que je vais me contenter de ça? Savez-vous de quoi est redevable à une femme un homme qui l'a déshonorée?

JEAN (*sort son porte-monnaie et jette une pièce d'argent sur la table*)

Tenez! Je ne veux être redevable de rien!

MADEMOISELLE (*sans avoir l'air de remarquer l'affront*)

Savez-vous ce que décrète la loi...

JEAN

Malheureusement la loi ne décrète pas de châtiment pour la femme qui séduit un homme!

MADEMOISELLE

Voyez-vous une autre issue que de partir, nous marier et divorcer?

JEAN

Et si je refuse de contracter cette mésalliance?

MADEMOISELLE

Cette mésalliance...

JEAN

Oui, pour moi! Voyez-vous : j'ai des ancêtres plus distingués que vous! je n'ai pas d'incendiaire dans ma famille, moi!

MADEMOISELLE

Comment pouvez-vous le savoir?

JEAN

Vous ne pouvez savoir l'inverse car nous n'avons pas de tableaux généalogiques... sinon à la police! Mais votre tableau généalogique, je l'ai lu dans l'annuaire de la noblesse. Savez-vous qui a fondé votre famille? C'était un meunier qui a laissé le roi coucher une nuit avec sa femme au cours de la guerre contre les Danois. Des ancêtres comme ça, je n'en ai pas! Je n'ai pas d'ancêtres du tout mais je peux devenir moi-même un ancêtre!

MADEMOISELLE

Voilà ce que j'ai gagné à ouvrir mon cœur à une personne indigne, à sacrifier l'honneur de ma famille...

JEAN

Le déshonneur!... Bon, vous voyez, je l'ai dit! Il ne faut pas boire parce qu'alors, on bavarde! Et on ne *doit* pas bavarder!

MADEMOISELLE

Oh! comme je regrette! Comme je regrette!... Et si au moins vous m'aviez aimée!

JEAN

Pour la dernière fois... que voulez-vous dire? Faut-il que je pleure, faut-il que je saute par-dessus votre cravache, faut-il que je vous embrasse, que je vous entraîne jusqu'au lac de Côme trois semaines et puis... que faut-il que je fasse; que voulez-vous? Ça commence à devenir pénible! Mais voilà ce que c'est que de mettre le nez dans les affaires des bonnes femmes! Mademoiselle Julie! Je vois que vous êtes malheureuse, je sais que vous souffrez mais je ne parviens pas à vous comprendre. Nous autres, nous n'avons pas de pareilles lubies, nous n'avons pas de haine entre nous! Nous aimons par jeu, quand le travail nous en laisse le temps; mais nous n'avons pas le temps toute la journée et toute la nuit, comme vous! Je vous tiens pour malade et votre mère était décidément toquée. Nous avons des paroisses entières qui sont toquées de piétisme, et ce qui a eu lieu ici, c'est une espèce de piétisme qui sévit maintenant!

MADEMOISELLE

Il faut être bon pour moi, maintenant, vous parlez comme un être humain.

JEAN

Oui, mais soyez un être humain vous-même! Vous me crachez dessus et vous ne permettez pas que je m'essuie... sur vous!

MADEMOISELLE

Aidez-moi, aidez-moi; dites-moi seulement ce que je dois faire? Où faut-il que j'aille?

JEAN

Au nom de Jésus, si je le savais!

MADEMOISELLE

J'ai été furieuse, j'ai été folle, mais ne peut-il donc y avoir un salut!

JEAN

Restez calme! Personne ne sait rien.

MADEMOISELLE

Impossible! Les gens le savent et Kristin le sait.

JEAN

Ils ne le savent pas et ils ne pourront jamais croire une chose pareille!

MADEMOISELLE (*hésitant*)

Mais... cela peut se reproduire!

JEAN

C'est vrai!

MADEMOISELLE

Et les conséquences?

JEAN (*effrayé*)

Les conséquences!... Où ai-je eu la tête, de ne pas y avoir pensé?... Eh bien! alors, il ne reste qu'une chose... partez d'ici! Tout de suite!... Je ne vous suis pas car alors, tout est perdu, c'est vous qui devez partir seule... partir... n'importe où!

MADEMOISELLE

Seule? Où?... Je ne peux pas!

JEAN

Vous le devez! Et ce, avant que monsieur le Comte revienne! Si vous restez, nous savons comment ça va se passer! Une fois qu'on a commis une faute, on continue puisque le mal est déjà fait... puis on s'enhardit de plus en plus... et pour finir on est démasqué! Donc, partez! Écrivez ensuite à monsieur le Comte et confessez tout, sans dire que c'est moi! Il ne le devinera jamais! Je crois qu'il ne serait guère ravi de le savoir!

MADEMOISELLE

Je partirai si vous m'accompagnez!

JEAN

Vous êtes folle, malheureuse! Mademoiselle Julie qui filerait avec son valet! Ça serait dans les journaux après-demain et à ça, monsieur le Comte ne survivrait jamais!

MADEMOISELLE

Je ne peux pas partir! Je ne peux pas rester! Aidez-moi! Je suis tellement fatiguée, si infiniment fatiguée! Donnez-moi un ordre! Mettez-moi en mouvement parce que moi, je ne suis plus capable de penser, d'agir!

JEAN

Vous voyez la vermine que vous êtes! Pourquoi vous cabrez-vous et relevez-vous le nez comme si vous étiez les maîtres de la création! Bon! je vais vous donner des ordres! Montez et habillez-vous. Prenez de l'argent pour le voyage et redescendez!

MADEMOISELLE (*à demi-voix*)

Montez avec moi!

JEAN

Dans votre chambre?... Voilà que vous redevenez folle!... (*Hésite un instant*) Non! Allez! tout de suite! (*La prend par la main et la conduit dehors*)

MADEMOISELLE (*tout en s'en allant*)

Parlez-moi aimablement, Jean!

JEAN

Un ordre, ça sonne toujours peu aimablement. Ça vous apprendra, ça vous apprendra.

(*Il reste seul; pousse un soupir de soulagement; s'assoit*

à la table; sort un carnet et un crayon; compte à haute voix de temps en temps; scène muette jusqu'à ce que Kristin entre, habillée pour aller à l'église, avec un plastron de chemise et une cravate blanche à la main)

KRISTIN

Seigneur Jésus, quel air ça a, ici! Qu'est-ce que vous avez fabriqué?

JEAN

Eh! C'est Mademoiselle qui a attiré des gens ici! As-tu dormi si fort que tu n'aies rien entendu?

KRISTIN

J'ai dormi comme une bûche!

JEAN

Et déjà habillée pour aller à l'église?

KRISTIN

Eh oui! Il m'a bien promis de m'accompagner à confesse aujourd'hui!

JEAN

Oui, c'est vrai!... Et voilà que tu as mes beaux habits! Bon, viens! (*Il s'assoit; Kristin commence à lui passer le plastron et la cravate blanche*)

(*Pause*)

JEAN (*ensommeillé*)

Qu'est-ce que c'est, l'évangile d'aujourd'hui?

KRISTIN

Ça doit être sur la décollation de Jean-Baptiste, je crois bien[22]!

JEAN

Ça va sûrement être terriblement long!... Aïe, tu m'étrangles!... Oh! j'ai tellement sommeil, tellement sommeil!

KRISTIN

Bien sûr, qu'est-ce qu'il a fait de toute la nuit; il a la figure toute verte!

JEAN

Je suis resté ici à bavarder avec Mademoiselle Julie.

KRISTIN

Elle ne sait donc pas se tenir, cette bonne femme-là!

(Pause)

JEAN

Écoute, Kristin!

KRISTIN

Eh bien?

JEAN

C'est bizarre en tout cas, quand on y réfléchit!... Elle!

KRISTIN

Qu'est-ce qu'il y a de si bizarre?

JEAN

Tout!

(Pause)

KRISTIN (*regarde les verres à moitié vides sur la table*)

Vous avez bu ensemble aussi?

JEAN

Oui!

KRISTIN

Quelle honte!... Regarde-moi en face!

JEAN

Oui!

KRISTIN

Est-ce possible? est-ce possible?

JEAN (*après réflexion*)

Oui! Ça l'est!

KRISTIN

Quelle horreur! Je n'aurais quand même jamais pu croire ça! Oh! quelle honte! quelle honte!

JEAN

Tu n'es quand même pas jalouse d'elle?

KRISTIN

Non, pas d'elle! Si ç'avait été Klara ou Sophie, je t'aurais arraché les yeux!... Bon, c'est comme ça; pourquoi, je ne sais pas!... Oh! c'est dégoûtant!

JEAN

Tu es fâchée contre elle, alors?

KRISTIN

Non, mais contre lui! C'est mal, très mal! Pauvre fille!... Non, qu'on le sache, je ne veux plus rester ici, dans cette maison; si on ne peut pas avoir de respect pour ses maîtres.

JEAN

Pourquoi faut-il avoir du respect pour eux?

KRISTIN

Eh bien, qu'il le dise, lui qui est si malin! Mais il ne veut pas servir des gens qui se conduisent indécemment? Hein? On se couvre soi-même de honte, je trouve.

JEAN

Oui, mais c'est une consolation pour nous, non, de voir que les autres ne sont pas un brin meilleurs que nous!

KRISTIN

Non, ça, je ne le pense pas. Parce que, s'ils ne sont pas meilleurs, ça ne sert à rien de s'évertuer pour s'améliorer... Et qu'on pense à Monsieur le Comte! Qu'on pense à lui qui a eu tant de chagrin! dans sa vie! Seigneur Jésus! Non, je ne veux plus rester dans cette maison-ci!... Et avec un type comme celui-là! Si ça avait été le bailli; si ça avait été un type de meilleure condition...

JEAN

Comment ça?

KRISTIN

Eh oui! Sûrement que c'est un homme pas mal, mais il y a des différences entre les gens et les bêtes tout de même... Oui, jamais je ne pourrai oublier cette histoire avec Mademoiselle!... Mademoiselle qui était si fière, si dure pour les bonshommes, on aurait jamais voulu croire qu'elle se donnerait; et à un type pareil! Elle qui a failli faire abattre sa chienne parce qu'elle courait après le carlin du gardien!... Oui! je le dis!... Mais moi, je ne veux plus rester ici, et pour le 24 octobre, je m'en vais[23]!

JEAN

Et après?

KRISTIN

Eh bien! puisque voilà qu'on en parle, il serait temps qu'il se mette à chercher du travail, si nous devons nous marier tout de même.

JEAN

Bon, quel travail devrais-je chercher? Une place comme ça, je ne peux pas en avoir une si je suis marié.

KRISTIN

Non, bien entendu! Il peut bien prendre un poste de portier ou chercher à entrer comme garçon de bureau dans une administration quelconque. Le gouvernement est chiche, mais il est sûr, et la veuve et les enfants ont une pension...

JEAN (*grimace*)

C'est très bien tout ça, mais ce n'est pas mon genre! de penser tout de suite à mourir pour l'intérêt de sa femme et de ses enfants. Je dois avouer que j'avais des vues réellement un peu plus hautes!

KRISTIN

Ses vues, ah oui!... Il a des devoirs aussi! Qu'il y pense!

JEAN

Ce n'est pas la peine de m'agacer en parlant de devoirs, je sais quand même bien ce que j'ai à faire!... (*L'oreille tendue vers dehors*) Nous avons tout notre temps pour réfléchir là-dessus... Rentre et prépare-toi, nous irons à l'église!

KRISTIN

Qui est-ce qui marche là-haut?

JEAN

Je ne sais pas, moi, à moins que ce soit Klara!

KRISTIN

Ça ne peut tout de même pas être monsieur le Comte qui serait rentré sans que personne ne l'entende!

JEAN (*apeuré*)

Monsieur le Comte? Non, je n'en crois rien, parce qu'alors, il aurait sûrement sonné!

KRISTIN (*s'en va*)

Oui, Dieu nous aide! Je n'ai jamais rien vu de pareil!

(*Le soleil est monté et éclaire les cimes des arbres du parc; la lumière se déplace peu à peu jusqu'à ce qu'elle entre en oblique par les fenêtres. Jean va à la porte et fait un signe*)

MADEMOISELLE (*entre, en costume de voyage, une petite cage à oiseaux recouverte d'une serviette, qu'elle pose sur une chaise*)

Voilà, je suis prête!

JEAN

Chut! Kristin est réveillée!

MADEMOISELLE (*extrêmement nerveuse pendant tout ce qui suit*)

A-t-elle soupçonné quelque chose?

JEAN

Elle ne sait rien du tout! Mais mon Dieu, l'air que vous avez!

MADEMOISELLE

Comment cela ? L'air que j'ai ?

JEAN

Vous êtes pâle comme un cadavre et... pardonnez-moi, mais vous avez la figure sale.

MADEMOISELLE

Laissez-moi me laver alors ! (*Elle va à la cuvette et se lave le visage et les mains*) Bien ! Donnez-moi une serviette !... Oh !... Voilà le soleil qui se lève !

JEAN

Et le troll crève [24] !

MADEMOISELLE

Oui, ce sont les trolls qui sont sortis cette nuit !... Mais Jean, écoutez ! Venez avec moi parce que, maintenant, j'en ai les moyens !

JEAN (*hésitant*)

Suffisamment ?

MADEMOISELLE

Assez pour commencer ! Accompagnez-moi, je ne peux voyager seule aujourd'hui. Pensez, le jour de la Saint-Jean, dans un train étouffant, entassée parmi des quantités de gens qui vont vous regarder bouche bée ; rester immobile dans des gares alors que l'on voulait voler... non, je ne peux pas, je ne peux pas ! Et puis les souvenirs arrivent ; les souvenirs d'enfance, de jours de la Saint-Jean avec l'église tout ornée de feuillage... feuilles de bouleau et lilas ; dîner à la table, les parents, les amis ; après-midi dans le parc, danse, musique, fleurs et jeux ! Oh ! on fuit, on fuit, mais les souvenirs suivent dans le fourgon, et les regrets, et les remords !

JEAN

Je vais vous accompagner! Mais maintenant, tout de suite, avant qu'il soit trop tard! Maintenant, sur l'heure!

MADEMOISELLE

Bon! Habillez-vous alors! (*Prend la cage à oiseaux*)

JEAN

Mais pas de bagages! Alors, nous serions trahis!

MADEMOISELLE

Non, rien! Seulement ce que l'on peut prendre dans le compartiment!

JEAN (*il a pris son chapeau*)

Qu'est-ce que c'est que vous avez là? Qu'est-ce que c'est?

MADEMOISELLE

C'est seulement ma serine[25]! Je ne veux pas la laisser!

JEAN

Voyons! Faut-il que nous emportions une cage à oiseaux! Mais vous êtes folle furieuse! Lâchez cette cage!

MADEMOISELLE

La seule chose à moi que j'emporte de la maison; le seul être vivant qui m'aime depuis que Diane m'a été infidèle! Ne soyez pas cruel! Laissez-moi l'emmener!

JEAN

Lâchez cette cage, je dis..., et ne parlez pas si haut... Kristin nous entend!

MADEMOISELLE

Non, je ne la laisserai pas dans des mains étrangères! Tuez-la plutôt!

JEAN

Alors, amenez cette bestiole, je vais lui couper le cou!

MADEMOISELLE

Oui, mais ne lui faites pas de mal! Pas de... non, je ne peux pas!

JEAN

Amenez ça ici. Je peux, moi.

MADEMOISELLE (*sort l'oiseau de la cage et l'embrasse*)

Oh, ma petit *Serine*, faut-il que tu meures et que tu quittes ta maîtresse?

JEAN

Je vous en prie, pas de scènes; il y va de votre vie, de votre salut! Allons, vite! (*Il lui arrache l'oiseau, le porte jusqu'au billot et prend le tranchet de cuisine. Mademoiselle se détourne*)Vous auriez dû apprendre à tuer des poulets au lieu de tirer au revolver... (*Il frappe*) comme ça, vous ne vous évanouiriez pas devant une goutte de sang!

MADEMOISELLE (*crie*)

Tuez-moi aussi! Tuez-moi! Vous qui pouvez massacrer une bête innocente sans que votre main tremble. Oh! je vous hais, je vous exècre; il y a du sang entre nous! Je maudis le moment où je vous ai vu, je maudis le moment où j'ai été engendrée dans le sein de ma mère!

JEAN

Bon! à quoi ça sert de maudire! Allez!

MADEMOISELLE (*s'approche du billot, comme attirée contre sa volonté*)

Non, je ne veux pas m'en aller encore; je ne peux pas... il faut que je voie... chut! il y a une voiture qui roule dehors... (*Tend l'oreille vers l'extérieur tout en gardant les yeux fixés sur le billot et le tranchet*) Croyez-vous que je ne peux pas supporter de voir du sang! Croyez-vous que je sois si faible... oh!... Je voudrais voir ton sang, ta cervelle sur un billot... Je voudrais voir ton sexe tout entier nager dans une mer de sang comme cet animal-ci... Je crois que je pourrais boire dans ton crâne, je voudrais baigner mes pieds dans ta cage thoracique et je pourrais te manger le cœur tout rôti!... Tu crois que je suis faible; tu crois que je t'aime parce que le fruit de mes entrailles avait envie de ta semence; tu crois que je veux porter ta progéniture sous mon cœur et la nourrir de mon sang... mettre au monde ton enfant et porter ton nom... Voyons, comment t'appelles-tu déjà?... Je n'ai jamais entendu ton nom de famille... Tu ne dois pas en avoir, je crois. Il faudrait que je devienne « Madame la gardienne »... ou « Madame Durand »... espèce de chien qui portes mon collier, espèce de valet qui portes ma marque sur tes boutons... moi, partager avec ma cuisinière, rivaliser avec ma bonne... oh! oh! oh!... Tu crois que je suis lâche et que je veux fuir! Non, maintenant, je reste... et que l'orage éclate! Mon père va arriver... va trouver son secrétaire fracturé... Son argent parti... Il va sonner... cette sonnette, là... deux coups, pour appeler le valet... Et puis, il enverra chercher la police... et puis je dirai tout! Tout! Oh! quel bonheur de mettre fin à tout ça... et alors, il aura une attaque et il mourra!... Alors, ce sera notre fin à tous... et ce sera le calme... la paix... le repos éternel... Et on brisera le blason contre le cercueil[26]... La lignée de monsieur le Comte est éteinte et la famille du domestique continue à l'Assistance publique... Elle se couvre de lauriers dans un caniveau et finit en prison!

JEAN

Voilà, c'est le sang royal qui parle! Bien, Mademoiselle Julie! Veillez donc à fourrer le meunier dans son sac!

(*Kirstin entre, habillée pour aller à l'église, son livre de cantiques à la main*)

MADEMOISELLE (*court vers elle et tombe dans ses bras comme pour chercher une protection*)

Aide-moi, Kristin! Aide-moi contre cet homme!

KRISTIN (*immobile et froide*)

Qu'est-ce que c'est que ce tapage, un jour de fête! (*Regarde le billot*) Et vous avez fait des cochonneries ici!... Qu'est-ce que ça veut dire, ça? et vous criez, vous faites un vacarme!

MADEMOISELLE

Kristin! Tu es une femme et tu es mon amie! Prends garde à ce misérable!

JEAN (*penaud*)

Pendant que ces dames discourent je rentre me raser! (*Sort à pas feutrés*)

MADEMOISELLE

Il faut que tu me comprennes, et il faut que tu m'écoutes!

KRISTIN

Non, vraiment, je ne m'entends pas à des putineries comme ça! Où est-ce qu'elle s'en va, en costume de voyage comme ça... Et lui qui est en chapeau... hein?... hein?...

MADEMOISELLE

Écoute-moi, Kristin; écoute-moi, je vais te raconter tout...

KRISTIN

Je ne veux rien savoir...

MADEMOISELLE

Il faut que tu m'écoutes...

KRISTIN

De quoi s'agit-il? De vos bêtises avec Jean! Bon, dites-le, ça m'est complètement égal! parce que je ne me mêle pas de ça. Mais si elle envisage de le duper et de décamper avec lui, on va mettre bon ordre à ça!

MADEMOISELLE (*extrêmement nerveuse*)

Essaie donc de rester calme, Kristin, et écoute-moi! Je ne peux pas rester ici et Jean ne peut pas rester ici... Il faut, par conséquent, que nous partions...

KRISTIN

Hum, hum!

MADEMOISELLE (*moins sombre*)

Mais tiens, il me vient une idée... et si nous partions tous les trois... pour l'étranger... pour la Suisse et que nous montions un hôtel ensemble... J'ai de l'argent, vois-tu... et Jean et moi nous occuperions de tout... et toi, j'avais pensé, tu aurais la cuisine... Ce ne serait pas bien!?.. Dis que oui! Et viens avec nous, comme ça, tout sera arrangé!... Dis oui! allez! (*Prend Kristin dans ses bras et lui tapote le dos*)

KRISTIN (*froide et pensive*)

Hum, hum!

MADEMOISELLE (*vite* [27])

Tu n'as jamais voyagé, Kristin... Il faut que tu voies le monde... Tu ne saurais imaginer comme c'est amusant de prendre le train... Des gens nouveaux, conti-

nuellement... des pays nouveaux... Et puis, nous arriverons à Hambourg, nous regarderons le jardin
zoologique en passant... Tu aimeras ça... Et puis nous
irons au théâtre et nous entendrons l'opéra... Et
quand nous arriverons à Munich, nous aurons les
musées... tu vois...; et là, il y a des Rubens et des
Raphaël, ces grands peintres, tu sais... Tu as bien
entendu parler de Munich où vivait le roi Louis... le
roi, je sais bien... qui est devenu fou... Et puis nous
verrons son château... Il a encore des châteaux qui
sont aménagés tout à fait comme dans les contes... Et
de là, il n'y a pas loin pour la Suisse... avec les
Alpes...; pense donc, les Alpes avec de la neige en
plein été... Et il pousse là des oranges et des lauriers
qui sont verts d'un bout à l'autre de l'année...

*(On aperçoit Jean à droite, dans la coulisse, qui aiguise
son rasoir sur un cuir qu'il tient entre les dents et la main
gauche; il écoute la conversation, satisfait, et approuve
d'un signe de tête de temps en temps)*

MADEMOISELLE (*très vite* [28])

Et là, nous prendrons un hôtel... Et je suis à la
caisse tandis que Jean accueille les voyageurs... Va
faire les courses... Rédige des lettres... Ça, c'est une
vie, tu penses!... Et les trains qui sifflent, et la diligence qui arrive, et on sonne dans les chambres, et on
sonne au restaurant... Et je rédige les factures... Et je
m'entends à les saler, moi... Tu n'imagineras jamais à
quel point les voyageurs sont timides lorsqu'ils
doivent payer leur note! Et toi... tu trônes dans la cuisine comme une grande maîtresse de la Cour... Bien
entendu, ce n'est pas toi qui devras être au fourneau...
Et il faudra bien que tu sois habillée chic et coquette
quand tu devras te montrer aux gens... Et toi, avec
l'air que tu as... Non, je ne te flatte pas... Il peut bien
se faire que tu mettes le grappin sur un mari, un beau
jour! Un riche Anglais, tu vois... Ces gens-là sont si
faciles à (*Plus lentement*) capturer... Et puis nous
deviendrons riches... Et nous nous construirons une

villa au bord du lac de Côme... Certes, il y pleut un peu parfois... Mais (*S'apaise*) le soleil brillera bien aussi quelquefois... même si cela a l'air sombre... et... alors... sinon, nous pourrons revenir ici, n'est-ce pas? Ou quelque part ailleurs...

KRISTIN

Voyons! Est-ce que Mademoiselle y croit, à ça?

MADEMOISELLE (*anéantie*)

Si j'y crois?

KRISTIN

Oui!

MADEMOISELLE (*avec fatigue*)

Je ne sais pas; je ne crois plus rien... (*Se laisse tomber sur le banc; se met la tête entre les bras, sur la table*) Rien! Rien du tout!

KRISTIN (*se tourne vers la droite où se tient Jean*)

Ah bon! il envisageait de filer!

JEAN (*penaud, pose le rasoir sur la table*)

Filer? C'est trop dire! Tu as bien entendu le projet de Mademoiselle et quoiqu'elle soit fatiguée maintenant après avoir veillé toute la nuit, ce projet peut fort bien être mis à exécution.

KRISTIN

Qu'il écoute à présent! Avait-on l'intention de me voir devenir la cuisinière de cette...

JEAN (*vivement*)

S'il te plaît, parle un langage correct quand tu t'adresses à ta maîtresse! Tu comprends?

KRISTIN

Maîtresse!

JEAN

Oui!

KRISTIN

Non mais écoutez! Écoutez-le!

JEAN

Non, écoute, toi, tu en as bien besoin, et parle un peu moins! Mademoiselle Julie est ta maîtresse et pour la même raison qui fait que tu la méprises maintenant, tu devrais te mépriser toi-même!

KRISTIN

J'ai toujours eu assez de respect de moi-même...

JEAN

... pour pouvoir mépriser autrui!...

KRISTIN

... pour ne jamais m'abaisser en dessous de ma condition. Essaie donc de dire que la cuisinière de monsieur le Comte a eu des histoires avec le valet d'écurie ou le porcher! Essaie donc de le dire!

JEAN

Mais oui, tu as eu à faire à un brave homme, c'est une chance pour toi!

KRISTIN

Oh oui! C'est un brave homme, celui qui vend l'avoine des écuries de monsieur le Comte...

JEAN

Tu peux parler, toi qui prends un pourcentage sur les marchandises de l'épicier et qui te laisses graisser la patte par le boucher!

KRISTIN

Comment ça?

JEAN

Et tu n'éprouves plus de respect pour ta maîtresse!
Toi, toi, toi!

KRISTIN

M'accompagne-t-il à l'église maintenant? Il peut
bien avoir besoin d'un bon sermon pour ses
prouesses!

JEAN

Non, je n'irai pas à l'église aujourd'hui; tu n'as qu'à
y aller toute seule et confesser tes exploits!

KRISTIN

Oui, c'est ce que je vais faire et je reviendrai avec
une absolution qui pourra suffire pour lui aussi! Le
Sauveur a souffert et est mort sur la croix pour tous
nos péchés, et si nous l'approchons avec foi et d'un
cœur repentant, il se charge de toutes nos fautes.

MADEMOISELLE

Tu le crois, Kristin?

KRISTIN

Je le crois absolument, aussi vrai que je suis ici, et
c'est ma foi d'enfant que j'ai conservée depuis ma jeunesse, Mademoiselle Julie. Et là où surabonde le
péché, la grâce surabonde!

MADEMOISELLE

Ah! si j'avais ta foi! Ah, si...

KRISTIN

Oui, mais voilà, on ne peut l'obtenir sans la grâce
spéciale de Dieu, et il n'est pas donné à tout le monde
de l'obtenir...

MADEMOISELLE

Qui donc l'obtient, alors?

KRISTIN

Ça, c'est le grand secret de l'œuvre de la grâce, voyez-vous, Mademoiselle, et Dieu ne fait pas acception de personne, mais les derniers seront les premiers[29].

MADEMOISELLE

Oui, mais alors, il prend en considération les derniers?

KRISTIN (*poursuit*)

Et il est plus facile à un chameau de passer par le trou d'une aiguille qu'à un riche d'entrer dans le royaume de Dieu[30]! Eh oui, c'est ainsi, Mademoiselle Julie!

Bon, je m'en vais maintenant... seule, et en passant, je vais dire au valet d'écurie de ne pas laisser sortir les chevaux, au cas où quelqu'un voudrait partir avant que monsieur le Comte rentre!... Au revoir! (*Elle s'en va*)

JEAN

Diable de femme!... Et tout ça à cause d'une serine!...

MADEMOISELLE (*inerte*)

Laissez la serine!... Voyez-vous un moyen d'en sortir, une fin à tout cela?

JEAN (*réfléchit*)

Non!

MADEMOISELLE

Que feriez-vous à ma place?

JEAN

À votre place? Attendez!... En tant que personne de noble naissance, en tant que femme, en tant que... déchue. Je ne sais pas... si! maintenant, je sais!

MADEMOISELLE (*prend le rasoir et fait un geste*)

Comme ça?

JEAN

Oui!... Mais *moi,* je ne le ferais pas... Notez bien cela! car il y a une différence entre nous!

MADEMOISELLE

Parce que vous êtes homme et moi, femme? Qu'est-ce que ça fait donc comme différence?

JEAN

La même différence que... entre un homme et une femme!

MADEMOISELLE (*le rasoir à la main*)

Je le veux! Mais je ne peux pas!... Mon père n'a pas pu non plus le jour où il aurait dû le faire!

JEAN

Non, il ne fallait pas qu'il le fasse! Il devait se venger d'abord!

MADEMOISELLE

Et maintenant, ma mère se venge de nouveau, à travers moi!

JEAN

N'avez-vous pas aimé votre père, Mademoiselle Julie?

MADEMOISELLE

Si, infiniment, mais je l'ai sûrement haï aussi! J'ai dû le faire sans l'avoir remarqué! Mais c'est lui qui m'a élevée dans le mépris de mon propre sexe, en faisant de moi à demi une femme, à demi un homme! Qui est coupable de ce qui s'est passé? Mon père, ma mère, moi? Moi? Mais je n'ai pas de moi, n'est-ce pas! Je n'ai pas une pensée que je ne tienne de mon père, pas une passion que je ne tienne de ma mère, et la dernière de mes idées — qui dit que tous les humains sont égaux — je la tiens de lui, mon fiancé... que je traite, en conséquence, de misérable! Comment cela peut-il être de ma faute? Faire retomber la faute sur Jésus, comme Kristin l'a fait... non, je suis trop fière pour cela et trop raisonnable... grâce aux enseignements de mon père... et qu'un riche ne puisse entrer au ciel, c'est un mensonge, et Kristin qui a de l'argent à la Caisse d'épargne n'y arrivera jamais, du moins! À qui la faute?... En quoi ça nous concerne de savoir à qui la faute; c'est quand même moi qui dois porter la faute! supporter les conséquences!

JEAN

Oui, mais...

(La sonnette sonne deux coups, secs; Mademoiselle se lève d'un bond, Jean change de veste)

Monsieur le Comte est chez lui!... Pensez donc si Kristin...

(Va au tuyau acoustique; écoute)

MADEMOISELLE

Est-il allé à son secrétaire maintenant?

JEAN

C'est Jean, monsieur le comte! (*Écoute. Le spectateur n'entend pas ce que dit le Comte*) Oui, monsieur le Comte! (*Écoute*) Oui, monsieur le Comte! Tout de

suite! (*Écoute*) Tout de suite, monsieur le Comte!
(*Écoute*) Fort bien! Dans une demi-heure!

MADEMOISELLE (*extrêmement anxieuse*)

Qu'est-ce qu'il a dit? Seigneur Jésus, qu'est-ce qu'il
a dit?

JEAN

Il a réclamé ses bottes et son café dans une demi-
heure!

MADEMOISELLE

Ainsi, dans une demi-heure!... Oh! je suis tellement
fatiguée; je ne suis capable de rien, pas capable de
regretter, pas fuir, pas rester, pas vivre... pas mourir!
Aidez-moi maintenant! Donnez-moi un ordre, j'obéirai comme un chien! Rendez-moi ce dernier service,
sauvez mon honneur, sauvez son nom! Vous savez ce
que je *devrais* vouloir, mais que je ne veux pas.
Ayez-en la volonté, vous, et ordonnez-moi de l'exécuter!

JEAN

Je ne sais pas... et maintenant, je ne peux pas non
plus... je ne comprends pas... C'est absolument
comme si cette veste-là faisait que... Je ne peux pas
vous donner des ordres... Et maintenant que monsieur
le Comte m'a parlé... Eh bien, je ne peux pas bien
l'expliquer... mais... ah! c'est ce satané valet qui siège
dans mon dos!... Je crois que si monsieur le Comte
descendait maintenant... et m'ordonnait de me tran-
cher la gorge, je le ferais sur place.

MADEMOISELLE

Faisons alors comme si vous êtes lui, et moi,
vous!... tout à l'heure vous saviez si bien jouer la
comédie lorsque vous étiez à genoux... vous étiez le
noble alors... ou bien... êtes-vous jamais allé au

théâtre, voir l'hypnotiseur... (*Geste approbateur de Jean*) Il dit au sujet : prenez ce balai; et il le prend; il dit : balayez, et il balaie...

JEAN

Oui, mais le sujet doit être endormi!

MADEMOISELLE (*comme en extase*)

Je dors déjà... toute la pièce est comme une fumée à mes yeux et a l'air d'un poêle de fer qui ressemble à un homme en noir et en chapeau haut-de-forme... et vos yeux luisent comme les charbons lorsque le feu s'éteint... et votre visage est une tache, blanche comme cendres légères... (*La lumière du soleil a atteint le plancher et éclaire Jean*) Il fait si chaud, si bon... (*Elle se frotte les mains comme si elle les réchauffait devant un feu*) Et si clair... et si calme!

JEAN (*prend le rasoir et le lui met dans la main*)

Voilà le balai! Allez, maintenant qu'il fait clair... allez à la grange... et... (*Il lui murmure à l'oreille*)

MADEMOISELLE (*réveillée*)

Merci! Maintenant, je vais me reposer! Mais dites seulement... que les premiers aussi peuvent recevoir le don de la grâce. Dites-le, même si vous n'y croyez pas!

JEAN

Les premiers? Non, je ne peux pas!... Mais attendez... Mademoiselle Julie... maintenant, je sais!... Vous n'êtes plus parmi les premiers... puisque vous êtes parmi les... derniers!

MADEMOISELLE

C'est vrai... Je suis parmi les tout derniers; je suis la toute dernière! Oh!... Mais maintenant, je ne peux pas y aller... Dites encore une fois qu'il faut que j'y aille!

JEAN

Non, je ne peux pas non plus! Je ne peux pas!

MADEMOISELLE

Et les premiers seront les derniers!

JEAN

Ne pensez pas, ne pensez pas! Parce que vous me prenez toutes mes forces aussi, si bien que je deviens lâche... Quoi? il m'a semblé que la sonnette bougeait!... Non! Faut-il la remplir de papier!... Avoir tellement peur d'une sonnette!... Oui, mais ce n'est pas seulement une sonnette... il y a quelqu'un derrière elle... une main qui la met en mouvement... et quelque chose d'autre qui met cette main en mouvement... bouchez-vous donc les oreilles... bouchez-vous les oreilles... Fort bien, il sonne encore plus fort!... sonne jusqu'à ce qu'on réponde... et alors, il est trop tard! et alors la police arrive... et alors... (*Deux violents coups de sonnette*)

JEAN (*se recroqueville; puis se redresse*)

C'est atroce! Mais il n'y a pas d'autre issue!... Allez!

(*Mademoiselle franchit la porte d'un pas résolu*)

Rideau

LE PÉLICAN

Pièce de chambre, opus 4[1]

PERSONNAGES

La mère, Élise, veuve
Le fils, Fredrik, étudiant en droit
La fille, Gerda
Le gendre, Axel, marié à Gerda
Margret, domestique

Acte I

Un salon; au fond, une porte donnant sur la salle à manger; à droite, la porte ouvrant sur le balcon, en pan coupé.

Un secrétaire, un bureau, une chaise longue recouverte de velours rouge; un fauteuil à bascule.

La mère entre; vêtements de deuil, se laisse aller sur un fauteuil; de temps en temps, écoute, inquiète.

Au-dehors, on joue la Fantaisie « Impromptue », œuvre posthume, op. 66, de Chopin [2]. Margret, la cuisinière, entre par le fond.

LA MÈRE

Sois gentille, ferme la porte.

MARGRET

Madame est seule ?

LA MÈRE

Ferme la porte, s'il te plaît... Qui est-ce qui joue ?

MARGRET

Un temps de chien, ce soir, il vente, il pleut...

LA MÈRE

Ferme la porte, s'il te plaît, je ne supporte pas cette odeur de phénol et de brindilles de sapin [3]...

MARGRET

Je le savais bien, Madame, et c'est pour ça que j'ai dit que Monsieur aurait dû être emporté immédiatement à la chapelle mortuaire...

LA MÈRE

Ce sont les enfants qui ont voulu que la cérémonie ait lieu à la maison...

MARGRET

Pourquoi Madame reste-t-elle ici, pourquoi ces messieurs-dames ne veulent-ils pas partir?

LA MÈRE

Le propriétaire ne nous laisse pas déménager et nous ne pouvons pas bouger... (*Pause*) Pourquoi as-tu enlevé la housse de la chaise longue rouge?

MARGRET

Il fallait que je la donne à laver. (*Pause*) Madame sait bien, euh! que Monsieur a rendu son dernier soupir sur ce sofa; mais vous n'avez qu'à enlever ce sofa...

LA MÈRE

Je ne dois rien toucher avant que l'inventaire ait été fait... C'est pour cela que je reste ici, emprisonnée... Et dans les autres pièces, je ne peux rester..

MARGRET

Qu'est-ce qu'il y a donc?

LA MÈRE

Les souvenirs... tellement désagréable, tout ça, et cette odeur atroce... C'est mon fils qui joue?

MARGRET

Oui! Lui, il ne se plaît pas ici; il est inquiet; et toujours, il a faim, il dit qu'il n'a jamais mangé à sa faim...

LA MÈRE

Il a toujours été chétif, dès qu'il est né...

MARGRET

Un enfant qu'on a élevé au biberon, il lui faudrait de la nourriture forte une fois qu'il a été sevré [4]...

LA MÈRE (*acerbe*)

Ah bon? Lui a-t-il manqué quelque chose?

MARGRET

Pas exactement, mais tout de même, Madame n'aurait pas dû acheter le meilleur marché et le plus mauvais; et envoyer un enfant à l'école en lui ayant fait prendre une tasse de chicorée et un petit pain, ce n'est pas bien.

LA MÈRE

Mes enfants ne se sont jamais plaints de la nourriture...

MARGRET

Vraiment? Pas à Madame, bien entendu, ils n'ont pas osé, mais une fois grands, ils sont venus me voir dans la cuisine...

LA MÈRE

Nous avons toujours vécu petitement...

MARGRET

Oh non! J'ai lu dans le journal que Monsieur était imposé pour un revenu de vingt mille couronnes parfois [5]...

LA MÈRE

Ça filait vite!

MARGRET

Oui, bien entendu! Mais les enfants sont malingres, Mademoiselle Gerda, je veux dire la jeune dame, n'est pas complètement développée bien qu'elle ait vingt ans passés...

LA MÈRE

Qu'est-ce que tu racontes?

MARGRET

Mais oui!... (*Pause*) Vous ne voulez pas que je fasse une flambée pour Madame, il fait froid, ici?

LA MÈRE

Non, merci, nous n'avons pas les moyens de faire partir notre argent en fumée...

MARGRET

Mais notre étudiant gèle à longueur de journée, si bien qu'il doit sortir ou se tenir chaud en faisant du piano...

LA MÈRE

Il a toujours eu froid...

MARGRET

Comment ça se fait, donc?

LA MÈRE

Prends garde, Margret... (*Pause*). Il y a quelqu'un qui marche, là-bas?

MARGRET

Non, il n'y a personne qui marche là-bas...

LA MÈRE

Tu crois que j'ai peur des fantômes?

MARGRET

Est-ce que je sais, moi!... Mais je ne resterai pas trop longtemps ici... Je suis venue ici un jour comme si l'on m'avait condamnée à veiller sur les enfants...

J'ai voulu m'en aller quand j'ai vu comment les domestiques étaient maltraités, mais je n'ai pas pu, ou bien j'ai senti que je ne devais pas... À présent, depuis que Mademoiselle Gerda est mariée, je sens que ma mission est terminée et bientôt, le moment de ma délivrance sera venu, seulement, pas encore...

LA MÈRE

Je ne comprends pas un mot de ce que tu dis... Le monde entier sait comme je me suis sacrifiée pour mes enfants, comme je me suis occupée de ma maison, comme j'ai rempli mes devoirs... Tu es la seule à m'accuser, mais cela m'est égal. Tu pourras t'en aller quand tu voudras, je n'ai plus l'intention d'avoir des domestiques une fois que le jeune ménage s'installera dans cet appartement...

MARGRET

Puisse Madame s'en trouver bien... Les enfants ne sont pas reconnaissants par nature, et les belles-mères ne sont pas vues d'un bon œil, si elles n'apportent pas d'argent.

LA MÈRE

Ne te fais pas de soucis... Je paierai ma pension et j'aiderai même à la maison... Du reste, j'ai un gendre qui n'est pas comme les autres...

MARGRET

Lui, vraiment?

LA MÈRE

Oui, lui! Il ne me traite pas comme une belle-mère, mais comme une sœur pour ne pas dire une amie... (*Margret fait la moue*) Je comprends que tu fasses la moue; j'aime mon gendre, j'en ai bien le droit et il le mérite... Mon mari ne l'aimait pas, il était envieux pour ne pas dire jaloux. Eh oui, il m'honorait de sa jalousie quoique je ne sois plus tellement jeune... Tu as dit quelque chose?

MARGRET

Je ne disais rien!... Mais il m'a semblé que quelqu'un venait... C'est l'étudiant, car il tousse! Ne faut-il pas que je fasse du feu?

LA MÈRE

Ce n'est pas la peine!

MARGRET

Madame!... J'ai gelé, j'ai crevé de faim dans cette maison, soit! Mais donnez-moi un lit, un lit comme il faut, je suis vieille et fatiguée...

LA MÈRE

C'est bien le moment, maintenant que tu vas t'en aller...

MARGRET

C'est vrai! J'oubliais! Mais pour l'honneur de cette maison, brûlez ma literie sur laquelle des gens ont couché et sont morts, afin de ne pas avoir honte devant celle qui viendra après moi, s'il en vient une!

LA MÈRE

Il n'en viendra pas!

MARGRET

S'il en venait une, elle ne resterait pas... J'ai vu cinquante femmes de chambre ficher le camp...

LA MÈRE

Parce que c'étaient toutes de mauvaises personnes et c'est ce que vous êtes toutes...

MARGRET

Merci beaucoup!... Bon! Maintenant, ça va être l'heure de Madame! Chacun son heure; chacun son tour!

LA MÈRE

Est-ce que j'en aurai bientôt fini avec toi?

MARGRET

Oui, bientôt! très bientôt! Plus vite que vous ne croyez!

(Le fils entre, portant un livre, toussant. Il bégaye légèrement)

LA MÈRE

Sois gentil, ferme la porte!

LE FILS

Pourquoi donc?

LA MÈRE

Et tu me réponds maintenant! Qu'est-ce que tu veux?

LE FILS

Puis-je rester étudier ici? Il fait tellement froid chez moi?

LA MÈRE

Tu as toujours froid, toi!

LE FILS

Quand on reste assis sans bouger, s'il fait froid, on le sent davantage! *(Pause. Il fait d'abord semblant de lire)* L'inventaire n'est pas encore terminé?

LA MÈRE

Pourquoi demandes-tu ça ? Est-ce qu'il ne faut pas laisser passer le deuil d'abord. Tu ne portes pas le deuil de ton père ?

LE FILS

Si... mais... il est sûrement bien maintenant... Et je suis ravi de la paix qu'il a maintenant, la paix qu'il a trouvée finalement. Mais cela ne m'empêche pas de vouloir connaître ma situation... savoir si j'aurai le temps d'aller jusqu'à mon examen sans emprunter...

LA MÈRE

Ton père n'a rien laissé, comme tu le sais, des dettes, peut-être...

LE FILS

Mais son commerce valait bien quelque chose ?

LA MÈRE

Il n'y a pas de commerce quand il n'y a pas de fonds, pas de marchandises, tu comprends !

LE FILS (*réfléchit d'abord*)

Mais la firme, le nom, les clients...

LA MÈRE

On ne peut vendre les clients...

(*Pause*)

LE FILS

Si ! c'est ce que l'on prétend !

LA MÈRE

Tu es allé chez un avocat ? (*Pause*) C'est comme ça que tu portes le deuil de ton père ?

LE FILS

Mais non!... Mais ne mélangeons pas les choses!...
Où sont ma sœur et mon beau-frère?

LA MÈRE

Ils sont rentrés de voyage de noces ce matin, ils sont
maintenant dans une pension de famille!

LE FILS

Alors, ils peuvent manger tout leur soûl, au moins!

LA MÈRE

Tu parles tout le temps de manger; as-tu eu lieu de
te plaindre de ma nourriture?

LE FILS

Mais non, pas du tout!

LA MÈRE

Mais dis-moi une chose! Ces derniers temps,
quand j'ai dû vivre séparée de ton père pendant un
certain temps, tu es resté seul avec lui... Ne t'a-t-il
jamais parlé de l'état de son commerce?

LE FILS (*absorbé dans son livre*)

Euh! non, pas particulièrement!

LA MÈRE

Peux-tu expliquer qu'il n'ait rien laissé derrière lui
alors qu'il gagnait vingt mille couronnes ces dernières
années?

LE FILS

Je ne sais rien des affaires de père; mais il disait que
la maison était si chère! Et il a acheté ce nouveau
mobilier, ces derniers temps, hein!

LA MÈRE

Ah bon! il a dit ça? Crois-tu qu'il avait des dettes?

LE FILS

Je ne sais pas! Il en avait eu, mais elles étaient payées.

LA MÈRE

Où est allé cet argent? A-t-il fait un testament? Moi, il me haïssait et plusieurs fois, il a menacé de me laisser sur la paille. Est-il possible qu'il ait caché des économies? (*Pause*) Est-ce qu'il y a quelqu'un qui marche dehors?

LE FILS

Non, pas que je puisse entendre!

LA MÈRE

Tous ces derniers événements, l'enterrement, les affaires, ça m'a rendue un peu nerveuse... Au fait, tu sais que ta sœur et ton beau-frère vont prendre cet appartement-ci et qu'il faut que tu te mettes en quête d'une chambre en ville!

LE FILS

Oui, je sais!

LA MÈRE

Tu n'aimes pas ton beau-frère?

LE FILS

Euh non! nous ne sympathisons pas!

LA MÈRE

Mais c'est un brave garçon, et capable!... Il faut que tu l'aimes, il le mérite!

LE FILS

Il ne m'aime pas... Et d'ailleurs, il a été méchant avec mon père.

LA MÈRE

À qui la faute?

LE FILS

Père n'était pas méchant...

LA MÈRE

Vraiment?

LE FILS

Maintenant, je crois qu'il y a quelqu'un qui marche dehors!

LA MÈRE

Allume une ou deux lampes! Mais seulement une ou deux!

(Le fils allume des lampes électriques. Pause)

LA MÈRE

Tu ne veux pas emporter le portrait de ton père dans ta chambre? Celui qui est accroché au mur?

LE FILS

Et pourquoi faire?

LA MÈRE

Je ne l'aime pas; ses yeux ont l'air méchants.

LE FILS

Je ne trouve pas!

LA MÈRE

Alors, emporte-le ; toi qui l'apprécies, c'est à toi qu'il revient !

LE FILS (*décroche le portrait*)

D'accord !

(*Pause*)

LA MÈRE

J'attends Axel et Gerda... Tu veux les voir ?

LE FILS

Non ! Je n'en ai pas envie... je crois que je vais aller chez moi... Si seulement je pouvais faire un peu de feu dans le poêle.

LA MÈRE

Nous n'avons pas les moyens de faire partir notre argent en fumée...

LE FILS

C'est ce que nous avons entendu pendant vingt ans, bien que nous ayons eu les moyens de voyager à l'étranger pour faire de stupides voyages ostentatoires... et de dîner dans des restaurants, pour cent couronnes ou pour un prix correspondant à vingt-deux stères de bois de bouleau ; vingt-deux stères pour un dîner [6] !

LA MÈRE

Comme tu bavardes !

LE FILS

Oui, il y avait quelque chose de fou ici, mais c'est fini maintenant, sans doute... Suffit de régler les comptes !...

LA MÈRE

Qu'est-ce que tu veux dire?

LE FILS

Je veux dire l'inventaire et le reste...

LA MÈRE

Quel reste?

LE FILS

Les dettes, les choses non réglées...

LA MÈRE

Ah bon!

LE FILS

En attendant, puis-je m'acheter quelques lainages?

LA MÈRE

Comment peux-tu réclamer ça maintenant? Tu devrais bien penser à gagner quelque chose toi-même bientôt...

LE FILS

Quand j'aurai eu mon examen!

LA MÈRE

Tu peux bien emprunter comme tous les autres!

LE FILS

Qui voudra me prêter?

LA MÈRE

Les amis de ton père!

LE FILS

Il n'avait pas d'amis! Un homme indépendant ne peut pas avoir d'amis puisque l'amitié consiste à se lier d'une admiration réciproque...

LA MÈRE

Comme te voilà sage, tu as appris cela de ton père!

LE FILS

Oui, c'était un homme sage... qui a fait des folies parfois.

LA MÈRE

Écoutez-moi ça!... Bon, envisages-tu de te marier alors?

LE FILS

Non, merci! Entretenir une dame de compagnie pour de jeunes messieurs, être la protection légale d'une cocotte, équiper son meilleur ami — entendons son pire ennemi — pour une expédition guerrière contre soi-même... Non, je m'en garderai bien!

LA MÈRE

Hein! Qu'est-ce que j'entends?... Va-t'en chez toi! J'en ai assez entendu pour aujourd'hui! Tu as sûrement bu?

LE FILS

Il faut toujours que je boive un peu, en partie pour ma toux, en partie pour me sentir rassasié.

LA MÈRE

Il y a encore quelque chose à redire à la nourriture?

LE FILS

Rien à redire, mais elle est tellement légère, elle a le goût de l'air!

LA MÈRE (*ébahie*)

Tu peux t'en aller, maintenant!

LE FILS

Ou alors, la nourriture est tellement poivrée et salée qu'elle vous donne faim! Autant dire que c'est de l'air épicé!

LA MÈRE

Je crois que tu es ivre! Va-t'en!

LE FILS

Oui!... je vais m'en aller! Je devais dire quelque chose, mais ça suffit pour aujourd'hui!... Bon!

(*Il s'en va*)

(*La mère, inquiète, fait les cent pas, ouvre des tiroirs. Le gendre entre brusquement*)

LA MÈRE (*salue cordialement*)

Enfin! Te voilà, Axel! J'ai langui de toi, mais où est Gerda?

LE GENDRE

Elle viendra après! Comment vas-tu, quoi de neuf?

LA MÈRE

Assois-toi et laisse-moi questionner d'abord, nous ne nous sommes pas vus depuis la noce, n'est-ce pas!... Pourquoi rentrez-vous si tôt, vous deviez être partis huit jours et il n'y en a que trois de passés?

LE GENDRE

Eh! le temps nous semblait long, vois-tu, quand on s'est dit tout ce qu'on a à se dire, la solitude devient accablante et nous avions tellement l'habitude de ta compagnie que tu nous as manqué.

LA MÈRE

Vraiment? Eh oui! Nous trois, nous nous sommes toujours bien entendus pendant tous les orages et je crois vous avoir été utile.

LE GENDRE

Gerda est une enfant qui ne s'entend pas à l'art de vivre, elle a des préjugés et elle est un peu têtue, fanatique dans certains cas...

LA MÈRE

Eh bien! qu'as-tu pensé de la noce?

LE GENDRE

Particulièrement réussie! Particulièrement. Et le poème, comment l'as-tu trouvé?

LA MÈRE

Le poème pour moi, tu veux dire? Eh bien! une belle-mère n'a sans doute jamais reçu de pareil poème pour les noces de sa fille... Te souviens-tu du Pélican qui donne son sang pour ses petits, tu sais que j'ai pleuré, oh oui...

LE GENDRE

D'abord, oui, mais ensuite, tu as dansé toutes les danses, Gerda était presque jalouse de toi...

LA MÈRE

Oh! ce n'était pas la première fois. Elle voulait que je vienne en noir, à cause de mon deuil comme elle disait, mais je n'en ai rien fait; faut-il que j'obéisse à mes petits?

LE GENDRE

Tu n'as certainement pas à t'en soucier. Gerda est folle parfois, il suffit que je regarde une bonne femme...

LA MÈRE

Quoi? Vous n'êtes pas heureux?

LE GENDRE

Heureux? Qu'est-ce que c'est, être heureux?

LA MÈRE

Ah bon? Vous vous êtes déjà disputés?

LE GENDRE

Déjà? Mais nous n'avons jamais rien fait d'autre quand nous étions fiancés... Et maintenant s'y ajoute le fait que j'ai dû donner ma démission et faire le lieutenant de réserve... C'est drôle, mais on dirait qu'elle m'aime moins depuis que je suis civil...

LA MÈRE

Alors, pourquoi ne portes-tu pas l'uniforme? Je dois avouer que je te reconnais à peine en civil... Tu es réellement un autre homme...

LE GENDRE

Je ne dois pas porter l'uniforme, sinon quand je suis de service et les jours de parade[7].

LA MÈRE

Tu ne dois pas?

LE GENDRE

Non, c'est le règlement...

LA MÈRE

Dommage pour Gerda, en tout cas. Elle s'est fiancée avec un lieutenant, et puis la voilà mariée avec un comptable!

LE GENDRE

Que peut-on y faire ? Il faut bien vivre ! À propos de vivre, où en sont les affaires ?

LA MÈRE

Sincèrement, je ne sais pas ! Mais je commence à soupçonner Fredrik.

LE GENDRE

Comment ça ?

LA MÈRE

Il a tenu des propos si bizarres ce soir, ici...

LE GENDRE

L'imbécile... !

LA MÈRE

Ces imbéciles-là ont coutume d'être sournois et je ne suis pas sûre qu'il n'y ait pas ici un testament ou des économies...

LE GENDRE

As-tu cherché ?

LA MÈRE

J'ai cherché dans tous ses tiroirs...

LE GENDRE

Dans ceux du gamin ?

LA MÈRE

Mais oui, et je fouille toujours sa corbeille à papiers parce qu'il écrit des lettres qu'il déchire...

LE GENDRE

Ce n'est rien, mais as-tu fouillé le secrétaire du vieux?

LA MÈRE

Oui, bien entendu...

LE GENDRE

Mais comme il faut? Tous les tiroirs?

LA MÈRE

Tous!

LE GENDRE

Mais dans tous les secrétaires, d'habitude, il y a des tiroirs secrets.

LA MÈRE

Je n'y ai pas pensé!

LE GENDRE

Alors, nous devons le fouiller!

LA MÈRE

Non, n'y touche pas, il est scellé pour l'inventaire.

LE GENDRE

On ne peut pas passer outre aux scellés?

LA MÈRE

Non! Ça non!

LE GENDRE

Si! si on détache les planches de derrière, tous les tiroirs secrets sont accessibles par-derrière.

LA MÈRE

Il faut des outils pour ça...

LE GENDRE

Oh non! Ça peut aller sans ça...

LA MÈRE

Mais Gerda ne doit rien savoir.

LE GENDRE

Non, bien entendu... elle irait aussitôt rapporter à son frère...

LA MÈRE (*ferme les portes à clef*)

Je ferme pour plus de sûreté...

LE GENDRE (*examine le fond du secrétaire*)

Tiens! Quelqu'un est passé par là... Le fond est détaché... J'y entre la main...

LA MÈRE

C'est le gamin qui a fait ça... Tu vois, mes soupçons... Dépêche-toi! voilà quelqu'un!

LE GENDRE

Il y a là des papiers...

LA MÈRE

Dépêche-toi, voilà quelqu'un...

LE GENDRE

Une enveloppe...

LA MÈRE

C'est Gerda qui arrive! Donne-moi ces papiers... Vite!

LE GENDRE (*remet une grande lettre que la mère cache*)

Tiens! Cache ça!

(*D'abord, on tiraille sur la porte, puis on cogne*)

LE GENDRE

A-t-il fallu que tu fermes... nous sommes perdus!

LA MÈRE

Tais-toi!

LE GENDRE

Tu es stupide!... Ouvre!... Sinon, c'est moi qui ouvre!... Écarte-toi! (*Il ouvre la porte*)

GERDA (*entre, maussade*)

Pourquoi vous êtes-vous enfermés?

LA MÈRE

Ne dois-tu pas dire d'abord bonjour, petite enfant, je ne t'ai pas vue depuis les noces; avez-vous fait bon voyage, parle donc et n'aie pas l'air aussi sombre.

GERDA (*s'assoit, déprimée*)

Pourquoi avez-vous fermé la porte à clef?

LA MÈRE

Parce qu'elle s'ouvre toute seule, et que je suis fatiguée de rabâcher de la refermer chaque fois que quelqu'un entre. Et si nous pensions aux meubles de votre appartement maintenant, vous allez habiter ici, n'est-ce pas?

GERDA

Il faut bien... À moi, c'est indifférent... Que dit Axel ?

LE GENDRE

Ce ne sera pas mal ici et belle-maman ne sera pas mal... puisque nous nous entendons bien...

GERDA

Où est-ce que maman va habiter, alors ?

LA MÈRE

Ici, mon enfant, je ferai seulement installer un lit !

LE GENDRE

Tu vas faire installer un lit au salon ?

GERDA (*au mot « tu », elle dresse l'oreille*)

Tu veux dire moi ?

LE GENDRE

Je veux dire belle-maman... mais ça va s'arranger... Il faut nous entraider et nous pourrons vivre sur ce que belle-maman paiera.

GERDA (*dont le visage s'éclaire*)

Et je serai un peu aidée dans le ménage...

LA MÈRE

Bien sûr, mon enfant... Mais je ne veux pas faire la vaisselle !

GERDA

Comment peux-tu penser ça ! D'ailleurs, tout ça, c'est bien, je veux seulement avoir mon mari pour moi ! On n'a pas à le regarder... c'est ce qu'elles faisaient, bien entendu, là-bas à la pension de famille et c'est pour ça que le voyage a été si court... Mais celui qui essaiera de le prendre, il mourra! Comme ça, vous le savez!...

LA MÈRE

Maintenant, allons nous mettre à transporter les meubles...

LE GENDRE (*regarde fixement la mère*)

Bon! Mais Gerda peut commencer ici...

GERDA

Pourquoi ça? Ça ne me plaît pas de rester ici toute seule... ce n'est que lorsque nous aurons emménagé que je me sentirai tranquille...

LE GENDRE

Puisque vous avez peur du noir, allons-y tous les trois...

(*Ils sortent tous*)

(*La scène reste vide; dehors, le vent souffle, il hurle aux fenêtres et dans le poêle; la porte du fond se met à battre, les papiers du secrétaire volent par la pièce, une plante verte, sur une console, s'agite furieusement, une photographie accrochée au mur tombe. On entend la voix du fils : « Maman ». Aussitôt après : « Ferme la fenêtre ». Pause. Le fauteuil à bascule remue*)

LA MÈRE (*entre, emportée, un papier à la main, qu'elle lit*)

Qu'est-ce que c'est? Le fauteuil à bascule qui bouge!

LE GENDRE (*qui la suit*)

Qu'est-ce que c'était? Qu'est-ce que c'est écrit? Je peux lire? C'est le testament?

LA MÈRE

Ferme la porte! Ce vent va nous emporter. Il faut bien que j'ouvre une fenêtre à cause de l'odeur! Ce n'est pas le testament... C'est une lettre destinée au gamin où il nous accuse mensongèrement, moi et... toi!

LE GENDRE

Je peux lire!

LA MÈRE

Non, ça ne ferait que t'empoisonner, je la déchire, quelle chance qu'elle ne lui soit pas tombée entre les mains... (*Elle déchire le papier et le jette dans le poêle*) Pense donc, il monte de sa tombe et il parle... il n'est pas mort! Jamais je ne pourrai habiter ici... Il écrit que je l'ai assassiné... je ne l'ai pas fait! Il est mort d'une attaque, n'est-ce pas! Le médecin l'a constaté... mais il dit autre chose aussi, qui est un pur mensonge, il dit que je l'ai ruiné!... Tu entends, Axel, veille à ce que nous sortions bientôt de cet appartement, je n'en peux plus ici! promets-le-moi!... Regarde le fauteuil à bascule!

LE GENDRE

C'est le courant d'air!

LA MÈRE

Partons d'ici! Promets-le!

LE GENDRE

Je ne peux pas... je comptais sur un héritage étant donné que vous faisiez miroiter ça, sinon, je ne me serais pas marié, maintenant, il faut prendre les choses telles qu'elles sont, et tu peux me considérer comme un gendre abusé... et ruiné! Il faut nous soutenir pour pouvoir vivre! Il faut épargner et tu peux nous aider!

LA MÈRE

Tu veux dire que je vais être embauchée comme bonne dans mon propre foyer? Ça, non!

LE GENDRE

Nécessité fait loi...

LA MÈRE

Un scélérat, voilà ce que tu es!

LE GENDRE

Ferme ça, la vieille!

LA MÈRE

Bonne, chez toi!

LE GENDRE

Tu verras comment ont vécu tes bonnes qui ont dû mourir de faim et de froid, ça, tu y échapperas!

LA MÈRE

J'ai ma rente viagère...

LE GENDRE

Elle ne suffirait pas pour vivre dans une mansarde, mais ici, elle suffira pour le loyer, si nous menons une petite vie tranquille... et sinon, je m'en vais!

LA MÈRE

Tu quitterais Gerda? Tu ne l'as jamais aimée...

LE GENDRE

Ça, tu connais mieux que moi... Tu l'as extirpée de mon esprit, tu l'as expulsée, sauf de la chambre à coucher qu'elle a pu garder... et s'il devait y avoir ici un enfant, lui aussi, tu le lui enlèverais... Elle ne sait rien encore, elle ne comprend rien, mais elle commence à se réveiller de son sommeil de somnambule. Prends garde lorsqu'elle ouvrira les yeux!

LA MÈRE

Axel! Nous devons nous soutenir... il ne faut pas nous séparer... je ne peux pas vivre seule; j'accepte tout... mais pas la chaise longue...

LE GENDRE

Si! Je ne veux pas gâcher cet appartement en ayant une chambre à coucher ici... ainsi, tu le sais!

LA MÈRE

Eh bien, donne-moi une autre pièce...

LE GENDRE

Non, nous n'avons pas les moyens et celle-ci est belle!

LA MÈRE

Quelle horreur! C'est un étal tout ensanglanté!

LE GENDRE

Tu parles... Mais si tu ne veux pas, il te reste la mansarde et la solitude, la chapelle et l'hospice.

LA MÈRE

Je me rends!

LE GENDRE

Tu fais bien...

(Pause)

LA MÈRE

Pense, tout de même! Il écrit à son fils qu'il est mort assassiné.

LE GENDRE

Il y a bien des façons d'assassiner... et la tienne avait l'avantage de ne pas tomber sous le coup de la loi.

LA MÈRE

La mienne? Dis la nôtre! Parce que tu étais avec moi et tu as aidé lorsque tu le mettais en fureur et le poussais au désespoir...

LE GENDRE

Il était en travers du chemin et ne voulait pas s'écarter! Il a bien fallu que je le bouscule...

LA MÈRE

La seule chose que je te reproche, c'est de m'avoir attirée hors de mon foyer... et je n'oublie pas ce soir, le premier que j'ai passé chez toi, où nous étions à table, à festoyer, et où nous avons entendu venant d'en bas, de la plantation, ces cris affreux que nous croyions sortis d'une prison ou d'un asile de fous... Te le rappelles-tu? C'était lui qui errait dans le champ de tabac, dans l'obscurité et la pluie, hurlant à cause de l'absence de son épouse et de ses enfants...

LE GENDRE

Pourquoi parles-tu de cela maintenant? Et comment sais-tu que c'était lui?

LA MÈRE

C'était dans sa lettre!

LE GENDRE

Bon, en quoi cela nous concerne-t-il? Ce n'était pas un ange...

LA MÈRE

Non, assurément, mais il avait des sentiments humains parfois, oh oui, un peu plus que toi...

LE GENDRE

Tes sympathies se mettent à tourner...

LA MÈRE

Ne te fâche donc pas! Il faut rester en paix, n'est-ce pas!

LE GENDRE

Il le faut, nous sommes condamnés...

(Cris rauques venant de l'intérieur)

LA MÈRE

Qu'est-ce que c'est? Écoute! C'est lui...

LE GENDRE *(brutalement)*

Qui ça, lui? *(La mère écoute)* Qui est-ce? Le garçon! Il doit avoir encore bu!

LA MÈRE

C'est Fredrik? Ça lui ressemblait tellement... J'ai cru... Je ne supporterai jamais! Qu'est-ce qu'il a donc!

LE GENDRE

Va voir! il doit être plein, ce voyou!

LA MÈRE

Comment peux-tu parler ainsi? C'est quand même mon fils, en tout cas!

LE GENDRE

Le tien, en tout cas!... *(Sort sa montre)*

LA MÈRE

Pourquoi regardes-tu ta montre? Tu ne veux pas rester jusqu'à ce soir?

LE GENDRE

Non merci, je ne bois pas de lavasse et ne mange jamais des anchois rances... ou du gruau... Du reste, il faut que j'aille à une réunion...

LA MÈRE

Quelle réunion?

LE GENDRE

Des affaires qui ne te regardent pas! Tu as l'intention de jouer les belles-mères?

LA MÈRE

Tu vas quitter ton épouse le premier soir que vous passez à la maison?

LE GENDRE

Ça non plus, ça ne te regarde pas!...

LA MÈRE

Maintenant, je vois ce qui m'attend... moi et mes enfants! Maintenant vient le moment où l'on jette les masques...

LE GENDRE

Oui, le voici venu!

Rideau

Acte II

Même décor. On joue au-dehors : Godard : la « Berceuse » de Jocelyn. Gerda est assise au bureau. (Longue pause)

LE FILS *(entre)*

Tu es seule ?

GERDA

Oui ! Maman est à la cuisine.

LE FILS

Où donc est Axel ?

GERDA

Il est à une réunion... Assois-toi et parlons, Fredrik, tiens-moi compagnie !

LE FILS *(s'assoit)*

Oui, je crois que nous n'avons jamais parlé encore, nous nous sommes mutuellement évités, il n'y avait pas de sympathies...

GERDA

Tu étais toujours du parti de père, et moi, de mère.

LE FILS

Peut-être que ça va changer maintenant !... Connaissais-tu ton père ?

GERDA

Quelle question! Mais réellement, je le voyais uniquement avec les yeux de mère...

LE FILS

Mais tu voyais bien qu'il t'aimait!

GERDA

Pourquoi a-t-il voulu empêcher puis rompre mes fiançailles?

LE FILS

Parce qu'il considérait que ton mari n'était pas le soutien dont tu avais besoin!

GERDA

Il faut dire qu'il en a été puni lorsque maman l'a quitté.

LE FILS

Est-ce que c'est ton mari qui l'a entraînée à s'en aller?

GERDA

C'est lui et c'est moi! Père allait sentir ce que cela fait d'être séparé, lui qui voulait me séparer de mon fiancé.

LE FILS

C'est quand même ça qui a abrégé sa vie... Et crois-moi, il ne te voulait que du bien!

GERDA

Tu es resté avec lui, qu'est-ce qu'il disait, comment avait-il pris ça?

LE FILS

Je ne suis pas capable de dépeindre ses tourments...

GERDA

Qu'est-ce qu'il disait de maman alors?

LE FILS

Rien!... Pourtant, après tout ce que j'ai vu, jamais je ne me marierai! (*Pause*) Tu es heureuse, Gerda?

GERDA

Mais oui! Quand on a eu le mari qu'on voulait, on est heureuse!

LE FILS

Pourquoi ton mari te quitte-t-il le premier soir?

GERDA

Il a des affaires, une réunion!

LE FILS

Au restaurant?

GERDA

Qu'est-ce que tu dis? Tu sais ça?

LE FILS

Je croyais que tu le savais!

GERDA (*la tête entre les mains, pleure*)

Oh Dieu! Mon Dieu!

LE FILS

Pardonne-moi, je t'ai fait du mal!

GERDA

Du mal! oh oui, du mal! Oh! je voudrais mourir!

LE FILS

Pourquoi n'êtes-vous pas restés plus longtemps en voyage?

GERDA

Il était inquiet pour ses affaires, il languissait de revoir maman, le fait est qu'il ne peut pas se passer d'elle... (*Ils se regardent fixement*)

LE FILS

Ah bon? (*Pause*) Pour le reste, votre voyage a été agréable?

GERDA

Mais oui!

LE FILS

Pauvre Gerda!

GERDA

Qu'est-ce que tu dis?

LE FILS

Mais oui, tu le sais bien, mère est curieuse, elle s'entend à se servir du téléphone comme personne!

GERDA

Comment ça? Elle a espionné?

LE FILS

C'est ce qu'elle fait toujours... Probablement qu'elle est derrière une porte à écouter notre conversation...

GERDA

Tu n'arrêtes pas de penser du mal de notre mère.

LE FILS

Et toi, du bien! Comment cela peut-il se faire? Tu sais bien comment elle est...

GERDA

Non! Et je ne veux pas le savoir...

LE FILS

Il y a autre chose que tu ne veux pas; tu y as intérêt...

GERDA

Tais-toi! Je suis comme une somnambule, je le sais, mais je ne veux pas être réveillée! Alors, je ne pourrais pas vivre!

LE FILS

Ne crois-tu donc pas que nous tous, nous sommes comme des somnambules?... Je fais des études de droit, comme tu le sais, je lis des comptes rendus de débats judiciaires. Eh bien! je vois que de grands criminels ne peuvent expliquer comment les choses se sont passées... et ont pensé qu'ils agissaient correctement jusqu'au moment où ils ont été découverts et se sont réveillés! Si ce n'est pas un rêve, c'est sûrement du sommeil!

GERDA

Laisse-moi dormir! Je sais que je me réveillerai, mais que ce soit dans longtemps! Ouh! Tout ce que je ne sais pas mais que je soupçonne! Te rappelles-tu lorsque nous étions enfants... les gens vous disent méchant si l'on dit ce qui est vrai... Tu es tellement méchante, me disait-on toujours lorsque je déclarais qu'une chose mauvaise était mauvaise... Et puis, j'ai appris à me taire... Alors, j'ai été appréciée pour mes bonnes manières; puis j'ai appris à dire ce que je ne pensais pas, et alors, je me suis trouvée prête à entrer dans la vie.

LE FILS (*indifférent*)

Il est connu qu'il faut jeter un voile sur les fautes et les faiblesses de son prochain, c'est vrai... mais le pas suivant s'appelle obséquiosité et flagornerie... Il est difficile de savoir comment on doit se comporter... parfois, c'est un devoir de dire carrément ce que l'on pense...

GERDA

Tais-toi!

LE FILS

Je vais me taire!

(*Pause*)

GERDA

Non, parle, mais pas de *ça*! J'entends tes pensées dans le silence!... Quand les humains se rassemblent, ils parlent, ils parlent indéfiniment, à seule fin de dissimuler leurs pensées... pour oublier, pour s'étourdir... Ils veulent bien entendre des nouvelles sur le compte d'autrui, mais sur leurs propres affaires, ils dissimulent!

LE FILS

Pauvre Gerda!

GERDA

Tu sais ce que c'est, la plus grande souffrance? (*Pause*) C'est de voir le néant du plus grand bonheur!

LE FILS

Voilà, tu as parlé!

GERDA

J'ai froid, fais-nous un peu de feu!

LE FILS

Tu as froid, toi aussi?

GERDA

J'ai toujours eu froid et faim!

LE FILS

Toi aussi! C'est drôle, ce qui se passe dans cette maison!... Mais si je vais chercher du bois, il va y avoir des scènes... pendant huit jours!

GERDA

Peut-être qu'il y a une flambée toute prête; maman avait l'habitude de mettre du bois parfois pour nous abuser...

LE FILS (*va au poêle et l'ouvre*)

Il y a vraiment quelques bouts de bois!... (*Pause*) Mais qu'est-ce que c'est que *ça*?... Une lettre! déchirée... On peut s'en servir pour allumer...

GERDA

Fredrik, n'allume pas, ça va nous valoir des tracas sans fin, viens et rassieds-toi, nous pourrons parler... (*Le fils va s'asseoir, pose la lettre sur la table à côté de lui. Pause*) Sais-tu pourquoi père haïssait mon mari à ce point?

LE FILS

Oui, ton Axel est venu lui prendre sa fille et son épouse, de sorte qu'il a dû rester tout seul; puis, le vieux a bien vu que son gendre était mieux servi à table que lui-même; vous vous enfermiez au salon, faisiez de la musique et lisiez, mais toujours de façon déplaisante pour notre père; il se trouvait évincé, chassé de son foyer et c'est pour cela qu'il est allé au cabaret pour finir.

GERDA

Nous ne savions pas ce que nous faisions... pauvre père!... Il est bon d'avoir des parents au nom et à la réputation irréprochables, et nous pouvons être reconnaissants... Te rappelles-tu les noces d'argent de nos parents, quels discours, et les poèmes qu'on leur a dédiés!

LE FILS

Je me rappelle, mais j'ai pensé que c'était dérision que de célébrer un mariage comme s'il était heureux alors qu'il avait été une vie de chien...

GERDA

Fredrik!

LE FILS

Je n'y peux rien, mais tu sais bien comment ils vivaient... Tu ne te rappelles pas lorsque maman a voulu se jeter par la fenêtre et qu'il a fallu que nous la retenions.

GERDA

Tais-toi!

LE FILS

Il y avait des causes que nous ne connaissons pas... et pendant le divorce, quand je m'occupais du vieux, il a plusieurs fois eu l'air de vouloir parler, mais les mots ne parvenaient jamais à franchir ses lèvres... Je rêve de lui parfois...

GERDA

Moi aussi!... Mais alors, quand je le vois, il a trente
ans... Il me regarde gentiment, on dirait qu'il veut me
dire quelque chose mais je ne comprends pas ce qu'il
veut... Parfois, maman aussi est là; il n'est pas fâché
contre elle car il l'a aimée, malgré tout, jusqu'à la fin,
tu te rappelles les beaux discours qu'il lui a faits aux
noces d'argent, la remerciant, *malgré tout...*

LE FILS

Malgré tout! C'est beaucoup dire, quoique pas
assez.

GERDA

Mais c'était beau! Elle avait quand même un grand
mérite... Elle tenait bien sa maison!

LE FILS

Oui, c'est ça, la grande question!

GERDA

Qu'est-ce que tu dis?

LE FILS

Tiens! Tout de suite, vous vous serrez les coudes!
On n'a qu'à toucher à la maison, vous êtes toutes du
même côté... C'est comme la franc-maçonnerie ou la
maffia[8]... Je suis allé jusqu'à interroger la vieille Margret, qui est mon amie, à propos de l'économie de la
maison, je lui ai demandé pourquoi on ne mangeait
jamais à sa faim ici... Alors, cette bavarde se tait! Se
tait et se fâche... Tu peux expliquer ça?

GERDA (*sèchement*)

Non!

LE FILS

Bon, je vois que toi aussi tu es de la franc-maçonnerie!

GERDA

Je ne comprends pas ce que tu veux dire!

LE FILS

Parfois, je me demande si père n'a pas été victime de cette maffia qu'il a dû découvrir.

GERDA

Des fois, tu parles comme un fou...

LE FILS

Je me rappelle que père employait le mot maffia parfois, pour plaisanter, mais finalement, il se taisait...

GERDA

C'est affreux ce qu'il fait froid ici, un froid de tombe...

LE FILS

Bon, j'allume, quoi qu'il en coûte! (*Il prend la lettre déchirée, d'abord distraitement, puis son regard se fixe dessus et il se met à lire*) Qu'est-ce que c'est que ça? (*Pause*) À mon fils!... C'est l'écriture de père! (*Pause*) C'est pour moi, donc! (*Il lit. Se laisse tomber sur une chaise et continue en silence*)

GERDA

Qu'est-ce que tu lis, qu'est-ce que c'est?

LE FILS

C'est affreux! (*Pause*) C'est absolument affreux!

GERDA

Qu'est-ce que c'est, dis-le!

(*Pause*)

LE FILS

C'en est trop... (*À Gerda*) C'est une lettre que m'écrit mon père mort! (*Poursuit sa lecture*) Voilà que je me réveille de mon sommeil! (*Il se jette sur la chaise longue et hurle de douleur, mais fourre le papier dans sa poche*)

GERDA (*à genoux à côté de lui*)

Qu'est-ce que c'est, Fredrik? Dis-moi ce que c'est!... Mon petit frère, es-tu malade, dis? dis?

LE FILS (*se redresse*)

Je ne peux plus vivre!

GERDA

Raconte, alors!

LE FILS

C'est trop incroyable!... (*Il se reprend, se lève*)

GERDA

Ce n'est peut-être pas vrai!

LE FILS (*irrité*)

Voyons, il ne ment pas depuis sa tombe, *lui*...

GERDA

Il a pu être pourchassé par des imaginations maladives...

LE FILS

Maffia! Te voilà de nouveau. Alors, je vais en parler!... Écoute!

GERDA

Il me semble savoir tout d'avance; mais je ne le croirai tout de même pas!

LE FILS

Tu ne veux pas!... Pourtant, c'est ainsi! Celle qui nous a donné la vie était une grande voleuse!

GERDA

Non!

LE FILS

Elle volait l'argent du ménage, elle falsifiait les comptes, elle achetait ce qu'il y avait de pire en comptant au prix fort, elle mangeait dans la cuisine le matin et nous donnait les restes, réchauffés; elle écrémait le lait, c'est pour ça que nous sommes des enfants ratés, toujours malades et affamés; elle volait l'argent du bois de chauffage si bien que nous devions avoir froid. Quand notre père a découvert ça, il lui a donné un avertissement, elle a promis de s'améliorer mais elle a continué et elle a fait des trouvailles, le soja, le poivre de Cayenne!

GERDA

Je n'en crois pas un mot!

LE FILS

Maffia!... Mais voici le pire! Le voyou qui est maintenant ton mari, Gerda, il ne t'a jamais aimée, c'est ta mère qu'il aime!

GERDA

Quelle horreur!

LE FILS

Lorsque père a découvert ça, et comme ton mari empruntait de l'argent à ta mère, notre mère, le misérable dissimula son jeu en te demandant ta main! Voilà les grands traits, les détails, tu pourras les imaginer!

GERDA (*pleure dans son mouchoir. Puis*)

Je le savais déjà sans le savoir... Ça n'est pas parvenu jusqu'à mon esprit parce que c'était trop!

LE FILS

Que faire maintenant pour te sauver de l'avilissement?

GERDA

Partir!

LE FILS

Où?

GERDA

Sais pas!

LE FILS

Alors, attendre, et voir comment l'affaire évoluera!

GERDA

C'est qu'on est sans défense contre sa mère; elle est sacrée, n'est-ce pas?

LE FILS

Au diable!

GERDA

Ne dis pas ça!

LE FILS

Elle est rusée comme une bête, mais son amour-propre l'aveugle souvent...

GERDA

Fuyons!

LE FILS

Où ? Non, restons jusqu'à ce que ce voyou la chasse de la maison!... Chut! voilà le voyou qui rentre... Tais-toi!... Gerda, maintenant, nous allons faire une franc-maçonnerie à nous deux! Je vais te donner le mot de passe! le cri de guerre! « Il t'a battue le soir des noces! »

GERDA

Rappelle-le-moi souvent! sinon, j'oublierai! Je voudrais tellement oublier!

LE FILS

Notre vie est détruite... Rien à respecter, à admirer... Oublier, on ne le peut pas... Vivons pour nous réhabiliter, nous et la mémoire de notre père!

GERDA

Et pour que justice soit faite!

LE FILS

Dis plutôt vengeance!

(Le gendre entre)

GERDA *(jouant la comédie)*

Bonjour à toi!... C'était bien, cette réunion, tu as eu quelque chose de bon?

LE GENDRE

Elle a été remise!

GERDA

C'était fermé? tu dis!

LE GENDRE

Elle a été remise, j'ai dit!

GERDA

Bon, tu vas t'occuper du ménage maintenant?

LE GENDRE

Te voilà bien gaie ce soir, mais Fredrik est une joyeuse compagnie!

GERDA

Nous avons joué aux francs-maçons!

LE GENDRE

Prends garde à ça!

LE FILS

Alors, nous jouerons à la maffia à la place! Ou à la vendetta!

LE GENDRE (*mal à l'aise*)

Vous avez de curieuses façons de parler, qu'est-ce que vous faites, ce sont des secrets?

GERDA

Tu ne racontes pas les tiens, hein! Peut-être que tu n'as pas de secrets?

LE GENDRE

Qu'est-ce qui est arrivé? Il y a eu quelqu'un ici?

LE FILS

Gerda et moi sommes devenus visionnaires, nous avons eu la visite de l'esprit d'un mort.

LE GENDRE

Finissons de plaisanter maintenant, sinon, ça va mal tourner! quoique cela t'aille bien, Gerda, d'être un peu joyeuse, la plupart du temps, tu es maussade. (*Il veut lui caresser la joue, mais elle se dérobe*)

LE GENDRE

Tu as peur de moi?

GERDA (*explose*)

Pas du tout! Il y a des sentiments qui ressemblent à de la crainte mais sont autre chose, il y a des gestes qui disent plus que des grimaces, et des mots qui cachent ce que ni des gestes ni des expressions peuvent manifester...

(*Le gendre ébahi, tripote une étagère*)

LE FILS (*se lève du fauteuil à bascule qui continue de se balancer jusqu'à ce que la mère entre*)

Voilà mère qui apporte le gruau!

LE GENDRE

Est-ce...

LA MÈRE (*entre, aperçoit le fauteuil à bascule qui bouge, a un geste d'effroi mais se calme*)

Voulez-vous venir manger le gruau!

LE GENDRE

Non, merci! Si c'est de l'avoine, donne-la aux chiens de chasse, si tu en as, si c'est de la farine de seigle, mets-la sur ton furoncle[9]...

LA MÈRE

Nous sommes pauvres, nous devons épargner...

LE GENDRE

Avec vingt mille couronnes, on n'est pas pauvre!

LE FILS

Si! Quand on prête à ceux qui ne paient pas!

LE GENDRE

Qu'est-ce que c'est que ça? Il est fou, ce garçon?

LE FILS

Il l'a été, peut-être!

LA MÈRE

Vous venez?

GERDA

Venez, allons-y! Courage, messieurs, je vais vous donner, moi, un sandwich et un beefsteak...

LA MÈRE

Toi?

GERDA

Oui, moi, dans ma maison...

LA MÈRE

Ça alors!

GERDA (*avec un geste vers la porte*)

S'il vous plaît, messieurs!

LE GENDRE (*à la mère*)

Qu'est-ce que c'est que tout ça?

LA MÈRE

Il y a anguille sous roche!

LE GENDRE

Je crois bien!...

GERDA

S'il vous plaît, messieurs!

(Ils se dirigent tous vers la porte)

LA MÈRE *(au gendre)*

As-tu vu que le fauteuil à bascule bougeait? *Son* fauteuil à bascule?

LE GENDRE

Non, je n'ai pas vu! Mais j'ai vu autre chose!

Rideau

Acte III

Même décor. On joue la valse : « Il me disait », de Ferrari [10]. *Gerda est assise, elle lit un livre. La mère entre.*

LA MÈRE

Tu reconnais?

GERDA

Cette valse? Oui.

LA MÈRE

La valse de tes noces, que j'ai dansée jusqu'au matin.

GERDA

Toi?... Où est Axel?

LA MÈRE

Qu'est-ce que ça peut me faire?

GERDA

Tiens! Vous vous êtes déjà disputés?

(Pause. Jeu de physionomies)

LA MÈRE

Que lis-tu, mon enfant?

GERDA

Le livre de cuisine! Mais pourquoi les temps de cuisson ne sont-ils pas indiqués?

LA MÈRE (*gênée*)

C'est tellement varié, vois-tu, les gens ont des goûts tellement différents, l'un fait comme ci, l'autre comme ça...

GERDA

Je ne comprends pas; il faut servir un plat dès qu'il a été préparé, sinon c'est du réchauffé, en conséquence, c'est gâté. Hier par exemple, tu as fait cuire une perdrix des neiges pendant trois heures; la première heure, tout l'appartement baignait dans une odeur de gibier splendide; là-dessus, la cuisine n'a plus rien dit; et quand le plat a été servi, il avait perdu son fumet et n'avait plus aucun goût! Explique ça!

LA MÈRE (*gênée*)

Je ne comprends pas!

GERDA

Explique alors pourquoi il n'y avait pas de sauce, où elle est passée, qui l'a mangée?

LA MÈRE

Je ne comprends rien!

GERDA

Mais moi, je me suis informée et maintenant, je suis au courant de diverses choses...

LA MÈRE (*la coupe*)

Tout ça, je le sais et tu ne m'apprendras rien, mais moi, je vais t'apprendre à tenir une maison...

GERDA

Si tu veux parler du soja et du poivre de Cayenne, je le sais déjà; de même que choisir des plats que personne ne touche quand on donne des invitations, afin qu'il en reste pour le lendemain... Ou bien inviter des gens quand il n'y a que des restes dans le garde-manger... Tout ça, je le sais maintenant, et c'est pourquoi, à partir d'aujourd'hui, je me charge de tenir la maison!

LA MÈRE (*furibonde*)

Faut-il que je sois ta bonne?

GERDA

Oui, tu seras ma bonne et moi la tienne, nous nous entraiderons!... Voilà Axel!

LE GENDRE (*entre, un gros bâton à la main*)

Eh bien? Qu'est-ce que tu penses de la chaise longue?

LA MÈRE

Ma foi, euh...

LE GENDRE (*menaçant*)

Elle n'est pas bien? Il manque quelque chose?

LA MÈRE

Je commence à comprendre!

LE GENDRE

Ah bon!... Au fait, puisque nous ne pouvons manger à notre faim dans cette maison, Gerda et moi avons l'intention de prendre nos repas à part.

LA MÈRE

Et moi, alors?

LE GENDRE

Tu es grasse comme une futaille, tu n'as pas besoin de grand-chose; pour ta santé, tu devrais maigrir un peu, comme nous avons dû le faire... En-at-ten-dant, sors un instant, Gerda, en attendant, tu vas faire du feu dans le poêle. (*Gerda sort*)

LA MÈRE (*tremble de fureur*)

Il y a du bois, là...

LE GENDRE

Mais non, il y a quelques bouts de bois, mais maintenant, tu vas aller chercher du bois de chauffage, de quoi remplir le poêle!

LA MÈRE (*hésite*)

Faut-il voir son argent partir en fumée?

LE GENDRE

Non, mais il faut que le bois parte en fumée pour qu'on puisse avoir chaud! Vite! (*La mère hésite*) Une, deux, trois! (*Il tape du bâton sur la table*)

LA MÈRE

Je crois que nous n'avons plus de bois...

LE GENDRE

Ou bien tu mens, ou bien tu as volé l'argent... Parce qu'ici, on a acheté un stère de bois avant-hier!

LA MÈRE

Maintenant, je vois qui tu es...

LE GENDRE (*s'assoit sur le fauteuil à bascule*)

Il y a longtemps que tu aurais dû le voir si ton âge et ton expérience n'avaient abusé ma jeunesse... Vite, dehors! va chercher du bois, sinon... (*Il lève son bâton. La mère sort, rentre aussitôt en portant du bois*) Maintenant, tu allumes comme il faut et tu ne fais pas semblant seulement!... Un, deux, trois!

LA MÈRE

Comme tu ressembles au vieux, maintenant! Alors que tu es assis dans son fauteuil à bascule!

LE GENDRE

Allume!

LA MÈRE (*domptée, mais en fureur*)

Mais oui, mais oui!

LE GENDRE

Maintenant, tu vas veiller sur le feu pendant que nous passerons à la salle à manger et mangerons...

LA MÈRE

Et moi, qu'est-ce que j'aurai alors?

LE GENDRE

Le gruau que Gerda t'a servi dans la cuisine.

LA MÈRE

Avec du lait écrémé...

LE GENDRE

Puisque tu as déjà consommé la crème, c'est correct et juste, non!

LA MÈRE (*d'une voix sourde*)

Alors, je m'en vais!

LE GENDRE

Tu ne pourras pas, je t'enfermerai au verrou!

LA MÈRE (*murmure*)

Alors, je saute par la fenêtre!

LE GENDRE

Fais-le donc! Il y a longtemps que tu aurais dû
l'avoir fait, la vie de quatre personnes aurait été épar-
gnée! Allume maintenant!... Souffle!... Voilà! Reste
ici jusqu'à ce que nous revenions. (*Il s'en va*)

(*Pause. La mère arrête d'abord le fauteuil à bascule;
écoute ensuite à la porte; sur ce, elle enlève une quantité de
bois du poêle et le cache sous la chaise longue. Le fils entre,
passablement ivre. La mère sursaute*)

LA MÈRE

C'est toi?

LE FILS (*s'assoit dans le fauteuil à bascule*)

Oui!

LA MÈRE

Comment vas-tu?

LE FILS

Mal! C'en sera bientôt fini de moi!

LA MÈRE

Ce sont des idées!... Ne te balance pas comme ça!...
Regarde-moi qui ai atteint un tel... un certain âge... et
qui ai tout de même vécu en travaillant, moi qui ai

trimé et fait mon devoir pour mes enfants et ma maison, ce n'est pas ce que j'ai fait?

LE FILS

Ouais!... Le pélican... qui n'a jamais donné le sang de son cœur... Il est écrit dans le manuel de zoologie que c'est un mensonge.

LA MÈRE

As-tu eu objet de te plaindre, dis?

LE FILS

Écoute, mère, si je n'étais pas ivre, je ne répondrais pas sincèrement parce qu'alors, je n'en aurais pas les forces, mais maintenant, je te dirai que j'ai lu la lettre de père que tu as volée et jetée dans le poêle...

LA MÈRE

Qu'est-ce que tu dis, qu'est-ce que c'est que cette lettre?

LE FILS

Toujours mentir! Je me rappelle quand tu m'as appris à mentir pour la première fois, à peine si je savais parler; tu te le rappelles?

LA MÈRE

Non, je ne me le rappelle pas du tout! Ne te balance pas!

LE FILS

Et quand tu as menti sur mon compte pour la première fois?... Je me rappelle aussi qu'étant enfant, je m'étais caché sous le piano et une tante est venue te rendre visite; tu es restée à lui mentir pendant trois heures et il a fallu que j'écoute!

LA MÈRE

C'est un mensonge!

LE FILS

Et sais-tu pourquoi je suis chétif comme ça? Jamais ma mère ne m'a donné le sein, j'ai eu une bonne d'enfants qui me nourrissait au biberon; quand j'ai été plus grand, j'ai dû accompagner cette bonne chez sa sœur qui était une prostituée[11]; et là, j'ai dû assister aux scènes secrètes que, sinon, seuls les propriétaires de chiens offrent à leurs enfants au printemps et en automne, en pleine rue! Quand je t'ai raconté, j'avais quatre ans, ce que j'avais vu dans la demeure du vice, tu as dit que c'était mensonge et tu m'as battu en me traitant de menteur bien que je dise la vérité. Cette bonne, avec ton assentiment, m'a initié, à l'âge de cinq ans, à tous les secrets, je n'avais que cinq ans... (*Il sanglote*) Et puis, j'ai commencé à mourir de faim et à geler, comme père et nous autres. Ce n'est que maintenant que j'apprends que tu volais l'argent du ménage et celui du chauffage... Regarde-moi, pélican, regarde Gerda qui n'a pas de poitrine!... Comment tu as assassiné mon père, tu le sais bien, tu l'a poussé au désespoir, chose qui n'est pas punie par la loi; comment tu as assassiné ma sœur, tu le sais bien, mais maintenant, elle aussi le sait!

LA MÈRE

Ne te balance pas!... Qu'est-ce qu'elle sait?

LE FILS

Tu le sais, mais je ne peux le dire! (*Sanglots*) C'est affreux que j'aie dit tout ça, mais il le fallait; je sens que lorsque je ne serai plus ivre, je me tuerai; c'est pour ça que je continue à boire; j'ai peur de me retrouver à jeun...

LA MÈRE

Continue de mentir!

LE FILS

Père a dit un jour, en colère, que tu étais la trahison personnifiée... que tu n'as pas, comme les autres enfants, appris à parler mais tout de suite à mentir... que tu t'es toujours dégagée de tes devoirs pour pouvoir festoyer! Et je me rappelle qu'un soir, alors que Gerda était malade à mourir, tu es allée voir une opérette... Je me rappelle tes propos : « La vie est bien assez pénible sans qu'on ait besoin de la rendre encore plus pesante! » Et l'été, pendant trois mois, où tu étais à Paris avec père en faisant la fête au point que la maison a été couverte de dettes, nous vivions, ma sœur et moi, ici en ville, enfermés avec deux bonnes dans cet appartement. Dans votre chambre, un pompier couchait avec la bonne de la maison et le lit des époux servait à ce couple intime...

LA MÈRE

Pourquoi n'as-tu jamais parlé de ça avant?

LE FILS

Tu as oublié que j'en ai parlé, que j'ai reçu une volée parce que je cafardais, ou que je mentais, comme tu qualifiais alternativement cela, car dès que tu entendais une parole véridique, tu disais que c'était du mensonge!

LA MÈRE (*tourne en rond dans la pièce
comme une bête sauvage qu'on vient de capturer*)

Je n'ai jamais rien entendu de pareil de la part d'un fils parlant à sa mère!

LE FILS

C'est un peu inhabituel, d'accord, et cela va complètement contre la nature, je le sais bien, mais il fallait que ce soit dit un jour. Tu marchais comme une somnambule, on ne pouvait te réveiller, c'est pour cela que tu n'étais pas capable de changer non plus. Père disait que « si on te mettait sur un banc de torture, tu n'aurais pas été capable de confesser une faute ou de reconnaître que tu avais menti... »

LA MÈRE

Père! Tu crois qu'il n'avait pas de défauts?

LE FILS

Il avait de grands défauts; mais pas dans ses rapports avec son épouse et ses enfants!... Mais il y a d'autres secrets dans ton mariage, que j'ai pressentis, soupçonnés, mais que je n'ai jamais voulu m'avouer... Ces secrets-là, père les a emportés dans la tombe, en partie!

LA MÈRE

As-tu assez bavardé maintenant?

LE FILS

Maintenant, je sors, je vais boire... je ne pourrai jamais passer mon examen, je ne crois pas à la justice; les lois semblent écrites par des voleurs et des assassins afin d'absoudre le criminel; un seul témoignage véridique n'a pas de valeur mais deux faux témoins constituent une preuve[12]. À onze heures et demie ma cause est juste, mais passé midi, j'ai perdu mes droits[13]; une faute d'écriture, une marge qui manque peuvent me mettre, tout innocent que je sois, en prison. Si je suis miséricordieux envers un gredin, il me poursuit en diffamation[14]. Mon mépris de la vie, de l'humanité, de la société et de moi-même est tellement illimité que je ne daigne pas prendre la peine de vivre... (*Il va vers la porte*)

LA MÈRE

Ne t'en va pas!

LE FILS

As-tu peur du noir?

LA MÈRE

Je suis nerveuse!

LE FILS

Ceci va avec cela!

LA MÈRE

Et ce siège me rend folle! Quand il était assis là, c'était toujours comme deux hachoirs... qui me hachaient le cœur.

LE FILS

Tu n'en as pas!

LA MÈRE

Ne t'en va pas! Je ne peux pas rester ici, Axel est un voyou!

LE FILS

C'est ce que je croyais aussi jusqu'à tout récemment. Je pense maintenant qu'il est victime de tes penchants criminels... Eh oui, c'est le jeune homme qui a été séduit!

LA MÈRE

Tu dois avoir de mauvaises fréquentations!

LE FILS

Mauvaises fréquentations, c'est ça, je n'en jamais eu de bonnes!

LA MÈRE

Ne t'en va pas!

LE FILS

Et qu'est-ce que je peux faire ici? Je ne ferais que te torturer avec mes propos...

LA MÈRE

Ne t'en va pas!

LE FILS

Es-tu en train de te réveiller?

LA MÈRE

Oui, maintenant, je me réveille, comme d'un long, long sommeil! C'est épouvantable! Pourquoi n'a-t-on pas pu me réveiller plus tôt?

LE FILS

Ce que personne n'a pu faire était impossible sans doute! Et si c'était impossible, tu ne devais rien pouvoir y faire!

LA MÈRE

Répète ce que tu viens de dire!

LE FILS

Tu ne pouvais sans doute pas être différente!

LA MÈRE (*lui baise servilement la main*)

Parle encore!

LE FILS

Je ne peux plus!... Si! Il faut que je te demande : Ne reste pas ici pour faire encore plus de mal!

LA MÈRE

Tu as raison! Je vais m'en aller, partir!

LE FILS

Pauvre maman!

LA MÈRE

Tu as de la compassion pour moi?

LE FILS (*sanglote*)

Oui, oh oui, sûrement! Combien de fois n'ai-je pas dit : elle est tellement méchante qu'il faut avoir pitié d'elle!

LA MÈRE

Merci!... Va-t'en maintenant, Fredrik!

LE FILS

Il n'y a pas de remède à ça?

LA MÈRE

Non, c'est irrémédiable!

LE FILS

Oui, c'est ça... C'est irrémédiable! (*Il s'en va*)

(*Pause. La mère seule, les bras croisés sur la poitrine un long moment. Puis elle va à la fenêtre qu'elle ouvre, et elle jette les yeux dans le vide; recule dans la pièce, prend son élan pour sauter dehors, mais elle se reprend au moment où on frappe trois coups à la porte du fond*)

LA MÈRE

Qui est-ce? Qu'est-ce que c'est? (*Elle ferme la fenêtre*) Entrez! (*La porte du fond s'ouvre*) Il y a quelqu'un? (*On entend le fils hurler dans l'appartement*)

C'est lui, dans le champ de tabac! Il n'est pas mort?
Qu'est-ce que je vais faire, où me diriger? (*Elle se
cache derrière le secrétaire. Le vent se remet à souffler,
comme précédemment, si bien que les papiers volent alen-
tour*) Ferme la fenêtre, Fredrik! (*Le vent fait tomber un
pot de fleurs*) Ferme la fenêtre! Je meurs de froid, et le
poêle est éteint! (*Elle allume toutes les lumières électriques; ferme la porte, qui se rouvre; le fauteuil à bascule
est mis en mouvement par le vent; elle tourne, tourne en
rond dans la pièce jusqu'à ce qu'elle se jette à plat ventre
sur la chaise longue en se cachant le visage dans les cous-
sins*)

(*Au-dehors, on joue « Il me disait ». La mère dans la
même position sur la chaise longue, la tête cachée. Gerda
entre, le gruau sur un plateau, qu'elle pose; puis elle éteint
les lumières électriques, sauf une*)

LA MÈRE (*se réveille, se redresse*)

N'éteins pas!

GERDA

Si, il faut économiser!

LA MÈRE

Te voilà revenue, si tôt?

GERDA

Oui, il ne trouvait pas cela amusant, tu lui man-
quais!

LA MÈRE

Merci bien!

GERDA

Voilà ton dîner!

LA MÈRE

Je n'ai pas faim!

GERDA

Si, tu as faim, mais tu ne manges pas de gruau!

LA MÈRE

Si, parfois!

GERDA

Non, jamais! Mais ce n'est pas pour ça, c'est pour ton sourire méchant chaque fois que tu nous faisais souffrir avec ton gruau d'avoine, tu jouissais de notre souffrance... et tu faisais le même pour le chien de chasse!

LA MÈRE

Je ne peux pas prendre de lait écrémé, cela me donne froid!

GERDA

Puisque tu as pris la crème pour ton café de onze heures!... Contente-toi de ça! (*Elle sert le gruau sur un guéridon*) Mange maintenant, que je regarde!

LA MÈRE

Je ne peux pas!

GERDA (*se penche et ramasse les bûches cachées sous la chaise longue*)

Si tu ne manges pas, je montrerai à Axel que tu as caché du bois!

LA MÈRE

Axel, à qui ma compagnie manquait! Il ne me fera pas de mal! Te rappelles-tu la noce, quand il dansait avec moi... « La valse! », il me disait. Tiens, on l'entend! (*Elle fredonne sur la deuxième reprise qui se joue à ce moment-là*)

GERDA

Il serait plus prudent de ta part de ne pas évoquer cette infamie...

LA MÈRE

Et on a composé des vers pour moi, vois-tu, et j'ai eu les plus belles fleurs.

GERDA

Tais-toi!

LA MÈRE

Faut-il que je te récite ces vers. Je les sais par cœur... « Au Ginnistan... » Le Ginnistan est un mot persan pour le jardin de Paradis où les gracieuses péris vivent de parfums. Les péris, ce sont des génies ou des fées qui sont faites de telle sorte que plus elles vivent, plus elles rajeunissent[15]...

GERDA

Oh! Seigneur Dieu, crois-tu que tu sois une péri?

LA MÈRE

Mais oui, c'est dans le poème, et l'oncle Viktor m'a demandée en mariage. Que diriez-vous si je me remariais?

GERDA

Pauvre maman! Tu marches encore comme une somnambule, comme nous l'avons tous fait, mais ne te réveilleras-tu jamais? Tu ne vois pas comme on se moque de toi? Tu ne comprends pas quand Axel t'insulte?

LA MÈRE

Il m'insulte? Je trouve toujours qu'il est plus poli envers moi qu'envers toi...

GERDA

Même quand il a levé son bâton contre toi?

LA MÈRE

Contre moi? C'était contre toi, ma chère enfant!

GERDA

Ma mère, as-tu perdu l'entendement?

LA MÈRE

C'est que ma compagnie lui manquait, ce soir; nous avons toujours tant de choses à nous dire, il est le seul qui me comprenne et tu n'es qu'une enfant...

GERDA (*prend sa mère par les épaules et la secoue*)

Réveille-toi pour l'amour de Dieu!

LA MÈRE

Tu n'es pas encore complètement adulte, voyons, mais moi, je suis ta mère et je t'ai nourrie de mon sang...

GERDA

Non, tu m'as donné un biberon et tu m'as mis une tétine dans la bouche, et ensuite, il a fallu que je vole dans le buffet, mais il ne s'y trouvait que du pain de seigle que je mangeais avec de la moutarde, et comme ça me brûlait la gorge, je me rafraîchissais avec la bouteille de vinaigre; l'huilier-vinaigrier et la corbeille à pain, voilà ce qu'était mon garde-manger!

LA MÈRE

Ah bon! tu volais *déjà* étant enfant! C'est du propre, et tu n'as pas honte d'en parler? Dire que c'est pour de pareils enfants que je me suis sacrifiée!

GERDA (*pleure*)

J'aurais pu te pardonner tout; mais que tu m'aies pris la vie... Eh oui, il était ma vie, avec lui, je commençais à vivre...

LA MÈRE

Ce n'est pas ma faute s'il m'a préférée! Il m'a peut-être trouvée, comment dire? plus agréable... Oui, il avait meilleur goût que ton père qui ne s'entendait pas à m'apprécier avant qu'il ait des rivaux... (*On frappe trois coups à la porte*) Qui est-ce qui frappe?

GERDA

Ne dis pas de mal de père! Je crois que ma vie ne suffira pas à regretter tout ce que je lui ai fait. Mais toi, tu le paieras, toi qui m'as excitée contre lui! Te rappelles-tu quand j'étais toute petite fille, tu m'apprenais à dire des mots méchants et blessants que je ne comprenais pas? Il avait assez de discernement pour ne pas me punir de cette flèche qu'on lui décochait, car il savait qui tendait l'arc! Te rappelles-tu quand tu m'as appris à lui mentir, à dire que j'avais besoin de nouveaux livres à l'école, et quand toi et moi lui avions soutiré de l'argent, ensuite, nous partagions...! Comment pourrai-je oublier tout ce passé? N'y a-t-il pas de boisson qui éteint le souvenir sans étouffer la vie? Si j'avais la force de sortir de tout cela, mais je suis comme Fredrik, nous sommes sans forces, sans volonté, victimes, tes victimes... Toi, tu t'es endurcie, tu n'es pas capable de souffrir de tes propres crimes!

LA MÈRE

Connais-tu *mon* enfance, à moi? Soupçonnes-tu le mauvais foyer que j'ai eu, tout le mal que j'ai appris là? Cela semble passer en héritage, d'en haut, de qui? De nos premiers parents [16], était-il dit dans les livres pour enfants [17], et il semble que ce soit bien cela... Ne m'accuse pas, donc, et je n'accuserai pas mes parents,

qui pourraient accuser les leurs, et ainsi de suite!
D'ailleurs, c'est comme cela dans toutes les familles,
bien que cela ne se manifeste pas aux gens du dehors.

GERDA

Si c'est ainsi, je ne veux pas vivre, mais si j'y suis forcée, je veux traverser en sourde et en aveugle cette
misère, et dans l'espoir d'une vie meilleure après
celle-ci...

LA MÈRE

Tu es tellement excessive, ma chère, si tu as un
enfant, il y aura autre chose à penser...

GERDA

Je n'aurai pas d'enfant...

LA MÈRE

Comment sais-tu cela?

GERDA

Le médecin l'a dit.

LA MÈRE

Il se trompe...

GERDA

Tu mens, une fois de plus... Je suis stérile,
incomplètement développée, moi comme Fredrik, et
c'est pour ça que je ne veux pas vivre...

LA MÈRE

Tu parles, tu parles...

GERDA

Si je pouvais faire le mal comme je le voudrais, tu
n'existerais plus! Pourquoi faut-il que ce soit si difficile de faire le mal? Et si je lève la main sur toi, c'est
moi que je frappe!...

(La musique cesse soudain; on entend le fils hurler au-dehors)

LA MÈRE

Il a encore bu!

GERDA

Pauvre Fredrik, eh oui... Que veux-tu qu'il fasse?

LE FILS *(entre, à demi ivre, bégayant)*

Il... Il y a sûrement de la fumée... dans... la cuisine!

LA MÈRE

Qu'est-ce que tu dis?

LE FILS

Je crois... Je... Je crois que ça... brûle!

LA MÈRE

Ça brûle? Qu'est-ce que tu dis?

LE FILS

Je, je... crois... que ça brûle!

LA MÈRE *(court vers le fond et ouvre les portes, mais est accueillie par une lueur rouge)*

Au feu!... Comment allons-nous sortir?... Je ne veux pas brûler!... Je ne veux pas! *(Elle tourne en rond)*

GERDA *(prend son frère dans ses bras)*

Fredrik! Fuyons, le feu est sur nous, fuyons!

LE FILS

Je n'ai pas la force!

GERDA

Fuyons! Il le faut!

LE FILS

Où?... Non, je ne veux pas...

LA MÈRE

Je préfère passer par la fenêtre... (*Elle ouvre la porte du balcon et se précipite*)

GERDA

Oh! Seigneur Dieu, aide-nous!

LE FILS

C'était la seule chose à faire!

GERDA

C'est toi qui as mis le feu!

LE FILS

Oui, que devais-je faire?... Il n'y avait rien d'autre à faire!... Y avait-il autre chose?

GERDA

Non! Il fallait que tout se consume, sinon nous ne sortirions pas d'ici! Prends-moi dans tes bras, Fredrik, serre-moi fort, petit frère; je suis heureuse comme je ne l'ai jamais été; tout s'éclaire, pauvre maman qui était si méchante, si méchante...

LE FILS

Petite sœur, pauvre maman, tu sens comme il fait chaud, comme c'est beau. Maintenant, je n'ai plus froid. Écoute comme ça crépite là-bas, à présent, tout ce qui est vieux, vieux, méchant et affreux et laid brûle...

GERDA

Serre-moi fort, petit frère, nous ne brûlerons pas,
nous serons asphyxiés par la fumée, tu ne sens pas
comme ça sent bon, ce sont les palmiers qui brûlent et
la couronne de lauriers de papa, maintenant, c'est
l'armoire à linge qui brûle, ça sent la lavande, et maintenant, les roses! Petit frère! n'aie pas peur, ce sera bientôt passé, frère chéri, chéri, ne tombe pas, pauvre
maman! qui était si méchante! Tiens-moi plus fort,
chiffonne-moi comme papa disait toujours! C'est
comme la veille de Noël quand nous avions la permission de manger dans la cuisine, de tremper notre pain
dans la marmite[18], le seul jour où nous pouvions manger à notre faim comme disait papa, sens comme ça
embaume, c'est le buffet qui brûle, avec le sac de thé et
le café et les épices, la cannelle et les clous de girofle...

LE FILS (*extasié*)

C'est l'été? le trèfle est en fleur, les vacances
commencent, te rappelles-tu quand nous descendions
aux vapeurs blancs et que nous les caressions, quand
ils étaient fraîchement peints et qu'ils nous atten-
daient, alors, papa était content, alors il vivait, disait-il,
et les livres de classe prenaient fin! C'est ainsi que la
vie devrait toujours être, disait-il, c'était sûrement lui
qui était le pélican parce qu'il se dépouillait pour
nous, il avait toujours un pantalon mal repassé, son
col de velours était râpé alors que nous étions vêtus
comme des enfants de comte... Gerda, dépêche-toi, le
bateau à vapeur sonne, maman est au salon, non, elle
n'est pas du voyage, pauvre maman! elle est partie,
est-elle restée sur le rivage? où est-elle? je ne la vois
pas, ce n'est pas drôle sans maman, la voilà qui arrive!
(*Pause*) Maintenant, les vacances commencent!

(*Les portes du fond s'ouvrent, la lueur rouge apparaît
fortement. Le fils et Gerda s'affaissent sur le plancher*)

Rideau

NOTES

1. Le texte de la pièce comme de la préface est traduit de l'édition dite nationale (en cours) : August Strindberg, *Samlade verk*, Nationalupplagan, band 27 : *Fadren, Fröken Julie, Fordringsägare*. Texten redigerad och kommenterad av Gunnar Ollén, Stockholm, Almqvist & Wiksell, 1984, p. 99-190.

2. C'est le terme technique pour désigner de longues et minces draperies destinées à cacher les parties supérieures du décor.

3. J'ai voulu conserver les coutumes langagières des Suédois à l'époque où se passe ce drame (voir Présentation). Kristin s'adresse à Jean à la troisième personne à la fois pour marquer la distance (Jean est un domestique d'un rang supérieur à Kristin, c'est pourquoi lui se permet de tutoyer Kristin) et ne pas donner dans une familiarité qui ne deviendra admise qu'une fois qu'ils seront mariés. Il y a relativement peu de temps que ce type d'usages est tombé en désuétude en Suède! On prendra garde, semblablement, à la façon dont Mlle Julie et Jean se parlent.

4. En français dans le texte. Jean, qui a voyagé et prétend avoir vu le monde, parle volontiers en langues étrangères.

5. C'est-à-dire une bouteille de bourgogne.

6. En français dans le texte.

7. La coutume populaire voulait, en effet, que l'on prépare la nuit de la Saint-Jean un « gruau de rêve » : la nuit qui suivait, on voyait son futur époux!

8. En français dans le texte.

9. En français dans le texte.

10. En français dans le texte.

11. En français dans le texte.

12. En français dans le texte.

13. Voir la note 2, p. 63.

14. Allemand : amoureuse, enamourée.

15. Autre croyance populaire : si elle cueillait neuf fleurs de la Saint-Jean et les mettait en dessous de son oreiller, une jeune femme non mariée voyait en rêve son futur mari.

16. En français dans le texte.

17. Renvoie à Genèse XXXIX où la femme de Putiphar essaie, en vain, de séduire Joseph, fils de Jacob.

18. L'image est évidemment biblique et renvoie à Genèse II, 9.

19. En français dans le texte.

20. En français dans le texte !

21. Renvoie au Code suédois, chapitre 18 § 10 : « Si quelqu'un commet une impudicité sur un animal, il sera condamné à deux ans au maximum de travaux forcés. » Précisons que la Suède puritaine de la fin du XIXᵉ siècle ne put supporter cet échange de répliques et que Strindberg dut les supprimer.

22. En effet, c'est l'évangile que l'on lit pour la Saint-Jean-Baptiste (Luc I, 57 ou Marc 6, 14-29).

23. Selon la loi de 1833, les domestiques qui voulaient déménager devaient le faire le 24 octobre à condition qu'ils aient donné et reçu leur congé entre le 26 juillet et le 24 août.

24. Selon les contes populaires scandinaves, les trolls ne pouvaient supporter la lumière du soleil. S'ils se laissaient aller à la voir, ils étaient pétrifiés, mouraient, sombraient sous terre, etc.

25. Je traduis par « serine », mais le texte parle de tarin, qui est, effectivement, un passereau dont le nom est peu connu en français !

26. Le jour de son enterrement, on portait solennellement les armes d'un noble que l'on déposait ensuite dans l'église. Mais s'il était le dernier de son lignage, on les brisait sur le cercueil.

27. Strindberg emploie en fait, ici, un vocabulaire musical : il ne dit pas « vite » mais « presto tempo ».

28. En fait : « prestissimo tempo », voir la note précédente.

29. Renvoie à l'évangile selon Matthieu 19, 30.

30. Matthieu 19, 24.

LE PÉLICAN

1. Texte traduit de l'édition dite nationale : August Strindberg, *Kammarspel*, Nationalupplagan, texten redigerad och kommenterad av Gunnar Ollén, Stockholm, Norstedts, 1991, p. 227-297.

2. Que Strindberg, sans aucun doute, aimait particulièrement puisque ce morceau pathétique est déjà évoqué dans *Orage*.

3. Comme on le sait, le phénol peut être injecté dans les vaisseaux sanguins d'un mort pour prévenir une décomposition trop rapide ; quant aux brindilles de sapin, la coutume existait, en Suède, d'en joncher le sol sur le chemin que devait parcourir le cercueil.

4. Une des idées fixes de Strindberg était qu'il fallait élever un enfant en le nourrissant au sein. Toute autre façon de faire était, selon lui, préjudiciable à la santé du nourrisson.

5. Les revenus imposables étaient, en effet, publiés dans les journaux. L'éditeur du texte en suédois donne, à titre de comparaison, les chiffres suivants : vingt mille couronnes de l'époque correspondraient à environ cinq cent cinquante mille couronnes de 1990, soit approximativement cinq cent trente mille francs. À titre indicatif, le même éditeur indique le salaire annuel moyen, toujours à l'époque, d'un professeur d'université — six mille couronnes — et d'un évêque — treize mille couronnes.

6. L'amateur notera que la traduction est approximative. Le texte dit quatre *famnar*, un *famn* valant 5,65 m³.

7. Il s'agit du Règlement militaire en vigueur en 1907, chap. IV, § 2.

8. Le texte ne porte pas maffia, mais camorra : il s'est agi d'une société secrète de criminels, en Italie méridionale, elle est attestée dès 1820 ; ses membres étaient tenus, par serment contraignant, au silence. De là l'association d'idées avec la franc-maçonnerie.

9. En qualité de cataplasme.

10. Il s'agit d'une valse lente, datant, selon l'éditeur suédois, de 1903.

11. On remarquera que le texte suédois porte le mot prostituée en français !

12. Cette citation, qui figure déjà dans *La Sonate des spectres,* est tirée du Code suédois chap. 17, § 29.

13. Renvoie, cette fois, au même texte que note précédente, chap. 25, §15 : en cas de pourvoi en cassation, il faut remplir la formalité avant une certaine heure, certains jours.

14. Déjà exploité, cette fois, dans *Le Lien,* scène VI, où un fermier prend en flagrant délit de vol une servante ; il se montre miséricordieux et ne la dénonce pas à la police, mais elle, l'accuse d'avoir attenté à son honneur, de l'avoir diffamée. Comme il n'y a aucun témoin au vol, c'est lui qui est condamné à verser une amende.

15. On peut lire aussi Djinnistan, c'est en fait l'autre monde, dans la mythologie persane, où vivent les djinns, les esprits bons ou mauvais. Les péris sont des fées d'une grande beauté qui proviennent d'esprits déchus et n'ont, en conséquence, pas droit aux délices de l'autre monde, elles s'efforcent vers la lumière et vivent dans les couches les plus élevées de l'éther.

16. Comprendre : d'Adam et Ève.

17. L'expression est obscure. Il doit s'agir des livres de lectures édifiantes — donc tirées de la Bible — que l'on donnait aux enfants à cette époque.

18. Fait allusion, en effet, à une coutume bien vivante pour Noël en Suède : les enfants trempent des tranches de pain tendre dans une marmite contenant de la sauce du fameux jambon de Noël (*julskinka*).

BIBLIOGRAPHIE

Les *Œuvres complètes (Samlade Skrifter)* ont été publiées par John Landquist. I-LV. Stockholm. Bonnier. 1912-1920. Une nouvelle édition, dite *Édition nationale (National-upplaga)* rendue nécessaire pour diverses raisons, dont la mise au jour de textes non retenus ou ignorés par Land-quist, est en cours et comprendra plus de soixante-dix volumes. Elle ne sera achevée que dans plusieurs années. Il existe plusieurs éditions partielles, en suédois, notamment celle de Gunnar Brandell, le meilleur spécialiste de la ques-tion : *Skrifter av August Strindberg*, I-XII. 1945-1946.

La correspondance, *August Strindbergs brev*, I-XI, 1947 et sq. est due à T. Eklund.

La meilleure biographie (elles sont fort nombreuses, sur-tout en suédois) est celle de Gunnar Brandell : *August Strindberg : ett föfattarliv*. I-IV. Stockholm. 1983-1990.

Pour une documentation sur ce qui s'est écrit en français sur Strindberg, on lira avec fruit l'article de Maurice Gravier (le meilleur connaisseur du sujet en France) : « Du nouveau sur Strindberg » dans *Études germaniques*, 1991 : 4, p. 411-428. Y sont rappelés, outre les travaux de M. Gravier, ceux d'A. Jolivet et de Guy Vogelweith. On lira aussi la mono-graphie d'Arthur Adamov : *August Strindberg*, Éd. de l'Arche, l'adaptation de ce qui fut un feuilleton pour la télé-vision, dû à Per Olof Enquist : *Strindberg, une vie*, Flamma-rion, 1985 ou le numéro 5, janvier 1985, de la revue *Théâtre en Europe*.

Quant aux traductions en français d'œuvres parti-culières, elles sont très nombreuses et de valeur fort iné-gale. On n'en retiendra que celles qui sont actuellement accessibles, soit :
— *Théâtre complet*, I-VI, L'Arche. 1982-1986, divers tra-ducteurs, édité par Carl-Gustaf Bjurström, responsable

des notes historiques et critiques très élaborées. Préface
générale de Maurice Gravier. Beaucoup de ces pièces
avaient fait l'objet, aux mêmes éditions, de publications
séparées.
— Poésie : *Nuits de sommeil par jours éveillés*, trad. Jean de
Faramond, Séguier, 1989.
— Romans et nouvelles :
Mariés, trad. Eva Ahlstedt et Pierre Morizet, Actes Sud,
1986.
Au bord de la vaste mer, trad. Littmanson, éd. Régis Boyer,
GF-Flammarion, 1993.
Drapeaux noirs, trad. Eva Ahlstedt et Pierre Morizet, Actes
Sud, 1984.
Le Couronnement de l'édifice, trad. Eva Ahlstedt et Pierre
Morizet, Actes Sud, 1990.
Destins et visages. Nouvelles historiques, choix et trad. Marc
de Gouvenain et Lena Grumbach, Flammarion, 1985.
— Œuvres autobiographiques : la traduction standard est
maintenant celle établie et présentée par Carl-Gustaf
Bjurström : *August Strindberg : Œuvres autobiographiques*.
I-II, Mercure de France, 1990. Comprend *Le Fils de la
servante, Fermentation, Dans la chambre rouge, L'Écrivain,
Le Plaidoyer d'un fou, Lui et Elle, L'Abbaye, Inferno,
Légendes, Seul, Correspondance avec Harriet Bosse* et *Jour-
nal occulte* (extraits de cette dernière œuvre, il existe une
traduction séparée due à Jacques Naville, avec une intro-
duction et des notes de Torsten Eklund, Mercure de
France, 1984).
Tschandala. Une sorcière. L'Île des Bienheureux, trad. Poule-
nard, Gouvenain, Grumbach, GF-Flammarion, 1990.
— Essais :
Petit catéchisme à l'usage de la classe inférieure, trad. Eva Ahl-
stedt et Pierre Morizet, Actes Sud, 1982.
Parmi les paysans français, trad. Eva Ahlstedt et Pierre Mori-
zet, Actes Sud, 1989.
— On pourra consulter également :
*Bohème suédoise. Peintures de la vie artistique et littéraire
suédoise*, trad. E. Avenard, Nilsson, 1908.
Les Gens de Hemsö, trad. Jean-Jacques Robert, Les Éd. du
Temps, 1962.
Vivisections, trad. Aurell sur le texte français original, préf. et
notes de T. Eklund, Stockholm, Bonnier, 1958.

CHRONOLOGIE

CHRONOLOGIE

1849, 22 janvier : naissance de Johan August, à Stockholm. Son père, Carl Oscar, était commissionnaire au port : il fera faillite en 1853. Sa mère, Ulrika Norling, de condition sociale nettement inférieure à celle de Carl Oscar, avait été servante d'auberge et vivra plusieurs années en concubinage avec Carl Oscar qu'elle épousera en 1847, lui ayant déjà donné trois enfants dont deux survivront. En un sens, Strindberg aura donc raison d'intituler *Le Fils de la servante* sa fracassante autobiographie.

1862 : Mort de sa mère, à l'âge de trente-neuf ans ; elle aura eu onze enfants, dont sept vivront.

1867 : Il passe le baccalauréat, après une jeunesse passablement sombre, semble-t-il. Il se croit la vocation d'un réformateur. Il entre à l'Université d'Uppsala, mais sans intentions bien arrêtées et, surtout, sans grandes ressources. En sorte que, presque aussitôt, il retourne à Stockholm où il est instituteur, précepteur dans des familles aisées. Il s'intéresse à la médecine, et aussi au théâtre où il aimerait devenir acteur, ce pourquoi, en

1869 : Il publie sa première pièce de théâtre, *Le Libre Penseur*, essai maladroit mais dont le titre indique quelles sont ses préoccupations de l'heure. Il va revenir aux études et s'intéresser à l'esthétique (c'est-à-dire aux disciplines littéraires). Il en terminera en 1872 quoique sans avoir passé d'examen. Dans l'intervalle, il a fondé l'Association « Runa », avec quelques amis : le nom seul (rune, le signe écrit des anciens Scandinaves) montre qu'il donne dans le romantisme historique, soucieux de ressusciter la gloire des époques passées, mouvement que l'on a appelé « göticicisme » en Suède au début du XIXᵉ siècle.

1870 : Il essaie, vainement, de faire jouer une tragédie, *Hermione ou le Déclin de l'Hellade* (qui lui vaut quand même une mention à l'Académie suédoise), mais *À Rome* est acceptée et représentée par le Théâtre dramatique.

1871 : Représentation sans grand succès du *Hors-la-loi*, sur un thème scandinave ancien.

1872 : Strindberg a décidé, aidé par une bourse que le roi Charles XV lui a accordée, de se consacrer exclusivement à l'écriture. Il s'installe à Stockholm et gagne sa vie comme journaliste, notamment à l'*Aftonpost*. À Kymmendö, une île de l'archipel de Stockholm, il écrit son premier grand essai dramatique qu'il considérera toujours comme l'œuvre de sa vie, *Mäster Olof* (nom d'Olaus Petri, 1493-1552, le grand réformateur suédois qui refusa de confondre intérêt politique et foi religieuse) et où l'on trouve de nets échos de Kierkegaard (la vocation intransigeante) et d'Ibsen (le goût de l'absolu). La pièce est refusée parce que jugée trop populaire dans le ton, non conforme aux « lois » de la composition dramatique et irrespectueuse des grandes figures du passé. Avec une docilité qui ne lui ressemble guère, Strindberg remettra sa pièce en chantier mais la seconde version, en 1874 et en prose, ne convaincra pas davantage les censeurs. Il faudra attendre 1890 pour qu'une troisième version, partiellement en vers, obtienne enfin le succès que la pièce mérite. Pour l'heure, Strindberg est au désespoir et travaille pour les *Dagens Nyheter* tout en fréquentant la bohème de Stockholm qui se réunit régulièrement dans le « cabinet rouge » du restaurant Berns.

1874 : Il trouve enfin le moyen d'assurer sa subsistance de façon régulière en entrant comme bibliothécaire surnuméraire à la Bibliothèque Royale de Stockholm, où il restera jusqu'en 1881. Cela lui permet de faire diverses études et recherches à titre personnel, notamment de chinois dont il acquerra des rudiments. On en trouvera des réminiscences, un jour, dans des communications qu'il fera à l'Académie des Inscriptions et Belles-Lettres de Paris (en 1879) et dans les ouvrages qu'il publiera tout à la fin de sa vie.

1875 : Strindberg tombe amoureux de la belle baronne Siri, née von Essen, femme d'un officier de la Garde, Carl Gustav Wrangel qui entretient lui-même une liaison avec l'une de ses cousines. Les époux Wrangel divorceront l'année suivante.

1876 : Premier voyage de Strindberg en France. Il vient à Paris.

1877 : Strindberg et Siri von Essen se marient. Publication de *De Fjärdingen et Svartbäcken* (il s'agit de deux quartiers d'Uppsala), recueil de nouvelles qui évoquent sans aménité ses souvenirs d'étudiant.

1878 : Siri von Essen-Strindberg met au monde une petite fille qui mourra le jour même.

1879 : Les époux Strindberg font faillite. August cherche une compensation dans l'écriture et rédige le roman *Dans le cabinet rouge*, paru la même année, qui est une féroce satire de la société stockholmienne de l'époque, à partir des souvenirs de bohème de l'auteur (il sera traduit en français sous le titre de *Bohème suédoise*), et un chef-d'œuvre d'écriture. L'ouvrage impose le nom de son auteur.

1880 : Siri, qui a mis au monde une fille, Karin, étant devenue actrice conformément à son vœu le plus cher, son mari écrit et fait jouer au Théâtre Royal une pièce qui préfigure les grandes pièces « rédemptrices », *Le Secret de la guilde*. Il entreprend la rédaction, en collaboration avec Claes Lundin, d'un ouvrage par fascicules, *Le Vieux Stockholm*, dont la publication ouvre la longue histoire de ses démêlés quasi constants avec ses coauteurs et éditeurs.

1881 : Une deuxième fille, Greta. Strindberg publie ses *Études d'histoire culturelle*.

1882 : Il a résigné sa charge de bibliothécaire et décidé de ne plus vivre que de sa plume. Il publie son ouvrage *Le Peuple suédois* où il s'attache à combattre les théories historiques du romantique Geijer (qui entendait faire de l'histoire celle des rois de Suède) et adopter une vision résolument « démocratique » du sujet : la nouveauté du point de vue lui vaut un désaveu général des historiens professionnels. Un roman, *Le Nouveau Royaume*, satirise allègrement la société assise de l'époque oscarienne. Il s'en prend pour la première fois aux problème du couple, à partir de son expérience personnelle, dans un drame médiéval, *La Femme de Sire Beng* qui est mal reçu mais où Siri obtient un succès déclaré comme actrice. Il écrit une féerie, *Le Voyage de Pierre le chanceux*, qui poursuit la satire sociale amorcée précédemment et exprime un dégoût de la culture, appelé à être un thème récurrent dans l'œuvre. Il entreprend la rédaction de toute une série de nouvelles historiques publiées par fascicules sous le

titre d'ensemble de *Destinées et aventures suédoises*. La
série ne sera achevée qu'en 1891. Les traits autobiographiques y sont déjà nombreux.

1883 : Il décide de quitter la Suède avec sa famille. Il sera en
France, notamment dans la petite colonie scandinave de
Grez-sur-Loing, puis en Suisse, en Bavière, et ne reviendra en Suède qu'en 1889. Paraît à Stockholm son premier
recueil de *Poèmes* qui ouvre les voies au modernisme dans
ce genre en Suède.

1884 : Naissance de son fils Hans. Strindberg vit de publications diverses, en particulier dans des journaux. Paraît
en Suède son second recueil de poèmes, *Nuits de somnambule par jours de veille*. Il y revendique un point de vue
« utilitaire » et entend dire adieu à la tradition culturelle !
Puis il édite les nouvelles de *Mariés* I, où il stigmatise les
revendications de la femme à l'émancipation, plaide pour
un langage d'une liberté révolutionnaire dans les questions sexuelles. Il est traduit en justice, en Suède, pour
blasphème parce qu'il aurait tourné en dérision la com-
munion. Il doit se rendre à Stockholm pour s'expliquer,
chose qu'il fait sans grande bravoure, mais sera finalement acquitté. Rentré en Suisse et marqué par cette
accusation, il durcit ses positions, se dit athée et entend
parler le langage de « la classe inférieure ».

1885 : Il est revenu en France, il entend devenir un grand
écrivain français. Les nouvelles d'*Utopies dans la réalité* se
donnent pour pacifistes et socialistes. Celles de *Mariés* II
(qui paraîtront l'année suivante) poussent à son comble la
haine de la Femme : la violence du style y atteint des sommets. Il fait de vains efforts soit pour rédiger directement
en français, soit pour se faire publier, en français, en
France ou même en Suisse.

1886 : Le scandale provoqué par *Mariés* II, après d'autres
de ses ouvrages, les difficultés économiques qu'il connaît,
le délabrement de son foyer l'incitent à rédiger sa grande
autobiographie — dans la mesure où l'essentiel de ce qu'il
a écrit jusque-là ne relève pas de ce genre ! Ce sera donc
Le Fils de la servante, suivi de *Fermentation* (tous deux
publiés en 1886) puis de *Dans la chambre rouge* (publié en
1887) : il manque *L'Écrivain*, écrit cette année-là également, mais qui ne verra le jour qu'en 1909 : l'introspec-
tion y fait progressivement place à la polémique et à une
manière de mégalomanie. Cette tétralogie, qui est fonda-

mentale pour la connaissance du psychisme de l'auteur, doit être manipulée avec grandes précautions en ce qui concerne les réalités factuelles qui y sont avancées. C'est aussi en 1886 qu'avec un jeune photographe de ses compatriotes, il entreprend un grand reportage sur la condition rurale en France : ce sera *Parmi les paysans français*, un essai d'une étonnante perspicacité et justesse de coup d'œil, qui ne sera publié qu'en 1889. Strindberg n'a pas renoncé au théâtre pour autant. Il rédige la pièce *Les Maraudeurs* qui finira par devenir *Camarades*.

1887 : En Bavière où il réside, Strindberg écrit *Le Père*, probablement le plus célèbre de tous ses drames, où sa misogynie atteint des sommets et où il campe « son » personnage, victime désignée d'avance dans le combat impitoyable que se livrent, pour l'exercice du pouvoir, l'homme et la femme, ce que l'auteur appelle « le combat des cerveaux ». Le moteur de ce « meurtre psychique » *(själamord)* tient au doute, au soupçon dévastateur que la femme, machiavélique, introduit dans la conscience de l'homme : celui-ci ne peut jamais être sûr d'être bien le père des enfants qu'il a. La qualité, éminente, de la pièce, tient à son classicisme à la grecque. Parallèlement, Strindberg compose un des romans qui figure parmi les plus appréciés aujourd'hui, *Gens de Hemsö*, dont le « personnage » principal est, comme dans tant d'autres de ses ouvrages (y compris *Au bord de la vaste mer*) l'archipel de Stockholm que Strindberg a toujours chéri. Comme Antoine, fondateur du Théâtre Libre, aimerait jouer *Le Père* et l'encourage à traduire lui-même sa pièce, Strindberg conçoit le projet d'écrire directement en français le roman *Le Plaidoyer d'un fou* (ne sera jamais publié en suédois par Strindberg, mais en allemand en 1893 et en français en 1895) qui est, en première analyse, une sorte de règlement de comptes avec Siri von Essen.

1888 : Les nouvelles de *Vie dans les îles* s'inscrivent dans le sillage de *Gens de Hemsö* en raison du succès de ce dernier. S'y lit, sur un mode contrapuntique, le même double motif que dans *Au bord de la vaste mer* : d'une part, une intrigue qui témoigne et des thèmes obsédants de l'auteur et de sa vision extrêmement pessimiste de la vie, d'autre part, la contemplation attendrie de la flore et de la faune de l'archipel de Stockholm. 1888 est aussi l'année où Strindberg découvre, sous l'influence du Danois Georg Brandes, Nietzsche et sa philosophie. Les deux hommes entretiendront une brève correspondance, interrompue par la folie naissante de Nietzsche. Cette découverte est responsable de la longue nouvelle *Tschandala*. En revanche, l'inspiration dramatique connaît d'éclatantes réussites avec, coup sur coup, *Mademoiselle Julie*, qui vaut premièrement pour l'extraordinaire rôle d'actrice qu'elle propose, et *Créanciers*, deux autres de ses drames dits à tort « naturalistes » et qu'il faut décidément appeler « théâtre psychique ». Bien entendu, il est presque impossible d'obtenir que de pareilles pièces d'avant-garde soient jouées en Suède sans problèmes. Aussi Strindberg aimerait-il fonder son propre théâtre sur le modèle du Théâtre Libre d'Antoine, mais qui ne se produirait qu'en tournées. C'est pour ce théâtre, qui ne verra jamais le jour, qu'il écrit de brèves pièces comme *La Plus Forte* (il s'agit, bien entendu, de la Femme dans le combat qui l'oppose à l'Homme), *Paria* (tel est l'Homme) et *Simoun*.

1889 : Il a tenté de créer son théâtre expérimental à Copenhague également, sans succès. Il rentre en Suède en laissant Siri et leurs enfants au Danemark. La situation du couple n'a cessé de se dégrader et la rupture définitive approche, mais l'attitude de Strindberg envers sa femme est une bonne illustration de la valeur de ses théories. Les lettres qu'il lui écrit sont capables de violence extrême, de tendresse sincère et de vifs reproches qu'il se fait à lui-même. Il faut s'en souvenir pour aborder avec fruit la lecture du roman *Au bord de la vaste mer* qu'il écrit à cette époque-là et où se conjuguent les influences de Nietzsche, la misogynie irrépressible de l'auteur et une véritable passion pour le décor de l'archipel de Stockholm.

1890 : C'est une année creuse, si ce n'est qu'*Au bord de la vaste mer* est publié alors.

1891 : Strindberg et Siri von Essen obtiennent la proclamation officielle de leur séparation mais le divorce ne sera confirmé que l'année suivante. Strindberg cherche à se consoler en écrivant une suite au *Voyage de Pierre le chanceux*, *Les Clefs du royaume du ciel*, mais il est obsédé par ses enfants « qu'on lui a pris » et la pièce est mauvaise.

1892 : Il quitte la Suède une nouvelle fois et va à Berlin où il mène une vie de bohème parmi les artistes allemands et scandinaves, notamment au café « Zum schwarzen Ferkel » (Au petit cochon noir). C'est que l'Allemagne s'intéresse à son théâtre. Il compose alors toute une série de pièces en un acte : *Premier avertissement, Doit et avoir, Devant la mort, Amour maternel, Il ne faut pas jouer avec le feu* et surtout *Le Lien*. Notons, chose rare, le côté comique de *Il ne faut pas jouer avec le feu*, et signalons, s'il est nécessaire, l'aspect autobiographique d'à peu près tout ce qu'il compose pour le théâtre. Ces pièces sont acceptées par le Théâtre dramatique, mais les acteurs refusent de jouer de pareils rôles !

1893 : Strindberg a rencontré une jeune et charmante journaliste autrichienne, Frida Uhl, qui n'a guère qu'une vingtaine d'années. Il l'épouse, son divorce d'avec Siri von Essen ayant été prononcé officiellement, et la jeune femme, avec une remarquable autorité, va prendre en main le ménage ainsi que la carrière de son mari. Mais on devine bien que cette accalmie sera de courte durée. Le couple se rend en Angleterre, en Allemagne, en Autriche où Strindberg découvre de profondes affinités entre lui et sa belle-mère, pour raisons religieuses. Toutefois, ses passions du moment vont à la science qu'il étudie avec ardeur, et il fait aussi de la peinture : on ne sait pas assez que ce fut un paysagiste de premier ordre, notamment par ses marines. Ses pièces obtiennent grand succès en Allemagne.

1894 : Naissance de Kerstin, fille d'August et de Frida. Cela n'empêche pas Strindberg de quitter sa femme et sa fille et de s'en aller à Paris où le Théâtre de l'Œuvre monte certaines de ses pièces. Il s'intéresse de plus en plus, en accord avec les modes de la fin de ce siècle, à l'occultisme et, dans le domaine scientifique, à la chimie des corps simples. Cela nous vaut l'*Antibarbarus I*.

1895 : C'est au cours de cette année-là que Strindberg, harcelé de problèmes matériels et sentimentaux, bourré de mauvaise conscience sans doute à cause de ses recherches plus ou moins alchimiques et de ses prises de positions morales ou religieuses, au bord de la maladie mentale en raison de sa quasi-certitude que « les puissances *(makterna)* » tiennent à s'acharner sur lui pour le réduire, obsédé d'une vision vétérotestamentaire qui ferait de lui un bouc émissaire, traverse une grave crise psychique à laquelle on a donné le nom de « crise d'Inferno » en raison du titre que prendra l'ouvrage qu'il publiera pour exorciser ces démons-là également. S'il ne sied certainement pas de prendre cette crise pour le point central d'une compréhension de l'homme et de l'œuvre dans leur ensemble, il n'y a pas à s'en masquer la gravité. Strindberg vit en déséquilibre, à peu près sur tous les plans, depuis trop longtemps pour qu'une explosion ne finisse pas par se produire...

1896 : Strindberg se fixe à Lund, dans le sud de la Suède. Il découvre Swedenborg à travers la *Séraphîta* de Balzac ! Swedenborg poursuivait une quête d'ordre mystique et théosophique qui ne va pas sans préfigurer la démarche de Strindberg sur bien des points. L'idée s'impose également à Strindberg, sous l'influence de Swedenborg, de l'impérieuse nécessité d'une « conversion » à un christianisme non dogmatique, certes, mais fortement teinté de mystique courte, voire primaire.

1897 : Il rédige, en français, *Inferno* qu'il fait traduire en suédois. La traduction suédoise paraît cette année-là, le texte français attendra l'année suivante. *Inferno* aura une suite, *Légendes*, publiée également en 1898. Passé toutes les analyses et exégèses, il faut signaler qu'un des grands thèmes du diptyque : la recherche de Dieu, d'un dieu, va rester la préoccupation dominante de toute la fin de l'œuvre. L'auteur divorce d'avec Frida Uhl.

1898 : Il faut tenir, en premier lieu, *Le Chemin de Damas*, dont la première partie est rédigée à Lund, cette année-là, pour une suite directe de la crise d'*Inferno*, notamment dans la mesure où la pièce décrit une sorte de quête mystique. Mais simultanément, l'inspiration s'infléchit dans un sens symbolique ou expressionniste qui met l'action aux confins du réel et du rêve et, dans une perspective kierkegaardienne, manifeste en images saisissantes la déchirure de l'« inconnu » que nous portons en nous. Strindberg a le sentiment, justifié, d'ouvrir de toutes nouvelles voies au théâtre. Ce pourquoi il entreprend, la même année, la rédaction du second volet de la même pièce. En même temps, il cherche à régler ses comptes avec son passé dans des pièces symboliques qu'il appelle « mystères » (selon l'acception médiévale du mot) comme *Avent* qui expose le thème de la faute et de l'expiation inéluctable, ou celui de la force des puissances mauvaises qui veillent en nous.

1899 : *Crime et Crime* prolonge la thématique d'*Avent*. Tout comme, d'ailleurs, la série de pièces à sujets historiques qui commence par *La Saga des Folkungar*, suivie de *Gus-*

taf Vasa et d'*Erik XIV*. Les temps sont loin où le dramaturge allait espérant anxieusement le succès : ses pièces
sont maintenant de véritables triomphes. Du coup, la production, qui avait piétiné pendant quelques années, repart
avec éclat : ce seront les années les plus fécondes de
Strindberg.

1900 : *Gustaf Adolf*, dans la série des drames historiques, est
trop longue pour emporter l'adhésion. En revanche,
Pâques, autre « mystère » est certainement l'une des réussites de ce théâtre : le personnage principal est tiré de la
réalité, Strindberg a mis en scène sa propre sœur qui était
internée dans un hôpital psychiatrique et vivait hors du
monde. C'est en 1900 que Strindberg fait la connaissance
d'une jeune actrice norvégienne, Harriet Bosse. Malgré la
bonne trentaine d'années qui les séparent, il tombe amoureux et elle ne le repousse pas : ils se marieront l'année
suivante.

1901 : Nouveaux drames historiques : *Engelbrekt*,
Charles XII, beaucoup plus faibles que les premiers de la
série. Des divertissements comme *Le Mardi-Gras de Poli-
chinelle* ne tirent pas particulièrement à conséquence. En
revanche, *La Danse de mort*, qui revient aux obsessions
personnelles et, notamment, aux problèmes du couple, est
une des grandes réussites dramatiques de l'auteur. *La
Mariée couronnée* et *Blanche comme cygne* sont, la première, une moralité dans le goût folklorique, la seconde,
une légende marquée par Maeterlinck dont la popularité
était grande dans le Nord.

1902 : Troisième volet du *Chemin de Damas* qu'il faut tenir
comme le dernier terme d'une trilogie plutôt que pour
une œuvre à part entière. Dans la même ligne vient alors
Le Songe (exactement : Un jeu de rêve, *Ett drömspel*) que
beaucoup considèrent comme le sommet de la production
dramatique. La plupart des techniques mises au point
dans les pièces expressionnistes ou symboliques, voire
psychiques, sont reprises pour offrir de la condition
humaine un tableau tantôt noble et éclatant, tantôt
déchirant et quotidien, voire plaintif ou accusateur. On a
voulu situer ce chef-d'œuvre dans le sillage de Schopen-
hauer : cela ne paraît pas nécessaire à qui connaît l'évolu-
tion propre de l'auteur. Toutefois, Strindberg se rap-
proche de la prose qu'il a abandonnée un temps : en
témoignent les nouvelles de *Fagervik* et *Skamsund* : ainsi

que de la poésie : *Jeu de mots et art mineur* est de cette
année-là. De Harriet Bosse à laquelle il a certainement
songé en écrivant sa pièce *Kristina*, bien que les relations
du couple soient très rapidement devenues orageuses, il a
une fille, Anne-Marie. Il compose *Gustave III*, nouvelle
pièce dans le goût historique, et n'achève pas *Le Hollan-
dais* qui aurait sans doute fait pendant au *Chemin de
Damas*. Le thème lui suggérera un cycle de poèmes.

1903 : Harriet Bosse a abandonné Strindberg en emmenant
leur fille. Mais ils ne divorceront qu'en 1904 et, même
alors, continueront de se voir... La rupture ne sera
consommée que lorsque Harriet se sera remariée, en
1908. En 1903 voit le jour *Le Rossignol de Wittemberg* (il
s'agit de Luther, bien entendu), sûrement, comme on l'a
fait remarquer, parce que le dramaturge est bien plus joué
en Allemagne que dans son propre pays. Ajoutons-y des
Contes et des notations autobiographiques réunies sous le
titre de *Seul*.

1904 : Sur le modèle de *La Chambre rouge*, rédaction de *Les
Chambres gothiques*, roman de coloration noire où la satire
sociale se fait haineuse.

1905 : Strindberg écrit beaucoup, un peu pour tromper
l'angoisse de la vieillesse qui vient, beaucoup pour faire
pièce aux échecs sentimentaux de son existence, et surtout parce qu'il tente désespérément de traquer « le grand
secret » qu'il croit porter en lui. Il tentera d'ailleurs de le
trouver par des moyens proprement « alchimiques » en se
livrant à toutes sortes d'expériences, notamment lors de
ses passages à Paris, le but étant de découvrir la pierre
philosophale ou de fabriquer de l'or ! Ce n'est plus tellement au théâtre qu'il s'adresse : il rédige des *Miniatures
historiques* — qui, comme leur titre l'indique, sont des
essais historiques mais où la Suède n'est plus la préoccupation principale —, puis un recueil de *Nouvelles destinées et aventures suédoises* (ici, il prend le contre-pied de
ses théories anciennes et fait bel et bien l'histoire des rois).
Ajoutons deux romans : *Le Bouc émissaire*, claire formulation du rôle qu'il estime avoir joué dans la vie, et *Le Couronnement de l'édifice* où il pratique ce que nous appelle-
rons ensuite le monologue intérieur.

1906 : C'est surtout à partir de cette année-là qu'il entreprend de noter, dans ses *Livres bleus*, toutes les réflexions
que peuvent lui inspirer l'actualité, ses lectures, ses

recherches scientifiques, notamment alchimiques, ses expériences personnelles, anciennes et présentes, ses idées religieuses, etc., dans un bric-à-brac étourdissant qui allie le plus génial au platement conventionnel. La rédaction de ces livres se poursuivra pendant quelque six ans : elle pourrait tendre au lecteur bon nombre de clés pour pénétrer dans l'ensemble de la production strindbergienne. Remarquons aussi que c'est en 1906 que le metteur en scène August Falck monte *Mademoiselle Julie* et obtient, pour la première fois depuis que la pièce existe, un triomphe éclatant. Du coup, Strindberg reprend goût au théâtre. Il décide de créer une scène spéciale pour jouer ses propres pièces, d'accord avec August Falck. Ce sera le Théâtre Intime, qui ouvrira ses portes l'année suivante.

1907 : Pour le Théâtre Intime, il compose ses *kammarspel* (pièces de chambre) qui sont autant de petits chefs-d'œuvre ramassés, de camées étincelants qui peuvent tenir de l'occulte, de l'onirique aussi bien que de la réalité triviale, de la misanthropie croissante avec les années, laquelle cherche à démasquer l'individu derrière tous les faux semblants dont il s'affuble : assez prodigieux résultats de l'étonnante alchimie, intérieure cette fois, dont cet écrivain se fait l'objet. Ces pièces s'intitulent *Orage*, *La Maison brûlée*, *La Sonate des spectres*, *Le Pélican* (qui est peut-être la plus saisissante de l'ensemble). Ce théâtre était trop en avance sur son temps pour rencontrer l'approbation qu'il méritait : il faudra attendre l'époque moderne pour que justice soit faite à cette surprenante production. Mais le Théâtre Intime servit aussi à donner d'autres pièces, couronnées, elles, de succès, de notre auteur. Cette année-là aussi paraît *Drapeaux noirs*, roman qui s'inscrit dans le sillage du *Nouveau Royaume*, tout comme *Les Chambres gothiques* dans celui de *La Chambre rouge*. Strindberg s'en prenait, une fois de plus, aux personnalités du monde des lettres et de la culture, avec une violence et une verve peu communes.

1908 : Dans le genre des *Contes*, *Les Babouches d'Abou Cassem*, du côté des drames à sujet historique, *Le Dernier Chevalier* : Strindberg exploite les veines où il a mis ses formules au point. Il en va de même pour la production de

1909 : où *Le Régent* et le *Jarl de Bjälbo* puisent dans la thématique qui a nourri tant de nouvelles et de pièces tirées de l'histoire de Suède, tandis que *Le Gant noir* revient sur le genre des *kammarspel* alors que *La Grand-Route* termine, en majeur, la longue symphonie qui a engendré tant de drames « itinérants ». Cette dernière pièce, trop peu souvent jouée, offre pourtant une belle synthèse de tout ce qui aura préoccupé l'auteur toute sa vie durant : elle se clôt par un superbe poème aux résonances bibliques qui pourrait passer aisément pour une sorte de testament spirituel car elle met un terme à la longue errance sur le « chemin de Damas » que Strindberg est convaincu d'avoir parcouru dans son existence terrestre.

1910 : Pourtant, la veine polémique et férocement satirique n'est pas tarie, témoins les *Discours à la nation suédoise* qui vont déclencher une violente campagne de presse (dans divers journaux, notamment *Afton-Tidningen* et *Social-Demokraten*, articles de Strindberg repris dans *L'État populaire et la renaissance religieuse*), l'adversaire principal étant l'ancien ami Verner von Heidenstam : l'ensemble de l'affaire est connu sous le nom de « bataille de Strindberg » (Strindbergsfejden). Toute l'intelligentsia suédoise prend parti, de gré ou de force, dans cette querelle où Strindberg est loin d'avoir toujours raison étant donné l'étrange mixte de convictions politiques et religieuses, esthétiques et idéologiques qui le caractérise, mais qui aura l'avantage de faire reconnaître définitivement son importance. Isolé dans son appartement de la « Tour bleue » (Drottninggatan 85, à Stockholm) qui est devenu le Musée Strindberg, il prodigue les écrits qui attestent, s'il en était besoin, du caractère premièrement « engagé » de cet écrivain d'humeur.

1911 : D'ultimes essais, comme *Les Racines des langues du monde* tentent de rassembler les considérations d'ordre philologique qui ont toujours été une des grandes passions de l'écrivain.

1912 : Le peuple stockholmois fait une ovation à l'écrivain pour le jour de son soixante-troisième anniversaire : ses amis lui décernent un anti-prix Nobel (la distinction ne lui ayant pas été décernée — elle le sera, en 1916, à son rival Verner von Heidenstam), démarche qu'il faut entendre dans le cadre de la « bataille de Strindberg » évoquée plus haut. L'écrivain mourra, d'un cancer, le 14 mai 1912.

TABLE

TABLE

ARISTOTE
Petits Traités d'histoire naturelle (979)
Physique (887)

AVERROÈS
L'Intelligence et la pensée (974)
L'Islam et la raison (1132)

BERKELEY
Trois Dialogues entre Hylas et Philonous
(990)

CHÉNIER (Marie-Joseph)
Théâtre (1128)

COMMYNES
Mémoires sur Charles VIII et l'Italie,
livres VII et VIII (bilingue) (1093)

DÉMOSTHÈNE
Philippiques, suivi de **ESCHINE**, Contre
Ctésiphon (1061)

DESCARTES
Discours de la méthode (1091)

DIDEROT
Le Rêve de d'Alembert (1134)

DUJARDIN
Les lauriers sont coupés (1092)

ESCHYLE
L'Orestie (1125)

GOLDONI
Le Café. Les Amoureux (bilingue) (1109)

HEGEL
Principes de la philosophie du droit (664)

HÉRACLITE
Fragments (1097)

HIPPOCRATE
L'Art de la médecine (838)

HOFMANNSTHAL
Électre. Le Chevalier à la rose. Ariane à
Naxos (bilingue) (868)

HUME
Essais esthétiques (1096)

IDRÎSÎ
La Première Géographie de l'Occident (1069)

JAMES
Daisy Miller (bilingue) (1146)
Les Papiers d'Aspern (bilingue) (1159)

KANT
Critique de la faculté de juger (1088)
Critique de la raison pure (1142)

LEIBNIZ
Discours de métaphysique (1028)

LONG & SEDLEY
Les Philosophes hellénistiques (641 à
643), 3 vol. sous coffret (1147)

LORRIS
Le Roman de la Rose (bilingue) (1003)

MEYRINK
Le Golem (1098)

NIETZSCHE
Par-delà bien et mal (1057)

L'ORIENT AU TEMPS DES CROISADES (1121)

PLATON
Alcibiade (988)
Apologie de Socrate. Criton (848)
Le Banquet (987)
Philèbe (705)
Politique (1156)
La République (653)

PLINE LE JEUNE
Lettres, livres I à X (1129)

PLOTIN
Traités I à VI (1155)
Traités VII à XXI (1164)

POUCHKINE
Boris Godounov. Théâtre complet (1055)

RAZI
La Médecine spirituelle (1136)

RIVAS
Don Alvaro ou la Force du destin
(bilingue) (1130)

RODENBACH
Bruges-la-Morte (1011)

ROUSSEAU
Les Confessions (1019 et 1020)
Dialogues. Le Lévite d'Éphraïm (1021)
Du contrat social (1058)

SAND
Histoire de ma vie (1139 et 1140)

SENANCOUR
Oberman (1137)

SÉNÈQUE
De la providence (1089)

MME DE STAËL
Delphine (1099 et 1100)

THOMAS D'AQUIN
Somme contre les Gentils (1045 à 1048),
4 vol. sous coffret (1049)

TRAKL
Poèmes I et II (bilingue) (1104 et 1105)

WILDE
Le Portrait de Mr. W.H. (1007)

GF Flammarion

05/11/118022-XI-2005 – Impr. MAURY Eurolivres, 45300 Manchecourt.
N° d'édition FG097006. – Mai 1997. – Printed in France.